2
榛名井
[ILLUSTRATION]
條
恋する魔女はエリート騎士に
A witch in love has drugged an elite knight with a love potion.
惚れ薬を飲ませてしまいました
～偽りから始まるわたしの溺愛生活～

「ねぇママ。わたし、ジークと結婚したいの！」
「へぇ、いいじゃないの」
グレタ
自由で奔放な
セシリーの母親。
セシリー・ランプス
本物の恋を見つけた
ピュアな魔女。

「き、ききっ、君に父と呼ばれる
筋合いはないんだよ！」
スウェル
娘を溺愛する
セシリーの父親。
「どうか、セシリーとの
結婚をお許しください。
お願いします」
ジーク・
シュタイン
セシリーの恋人にして
聖空騎士団の団長を務める
エリート騎士。

「セシリー。十年前のことなんだけど。僕らが十年前に交わした約束――」
「十年前？」

「ケイン……す・き」
ケイン・ラハルト
セシリーに思いを寄せる幼なじみ。
「再会の挨拶。僕から君に」

「今の俺が何を言っても、
君には不審に思われるだけだろう。
でも、これだけは伝えておく」
一瞬だけ、褐色の瞳がセシリーを見る。
その瞳に宿るものを見るだけで、分かった。
ジークはわざと冷たく振る舞っている。
そうすることで、自分の感情に
歯止めをかけているのだと。

「俺は、君を他の誰かに譲ったりしない。絶対に」
何も言えずにいるセシリーを置いて、ジークは部屋から立ち去った。

CONTENTS

恋する魔女はエリート騎士に惚れ薬を飲ませてしまいました

〜偽りから始まるわたしの溺愛生活〜

2

榛名丼

［ILLUSTRATION］
條

A witch in love has drugged an elite knight with a love potion.

プロローグ　遠い約束

A witch in love has drugged
an elite knight with a
love potion.

魔女の里の外れには、小さな花畑があった。

幼いセシリーは、そこによく遊びに行った。きれいな花を丁寧に摘み、花瓶に挿して窓際を彩ったり、花冠《はなかんむり》を作って父や母、ロロにプレゼントしたりしたものだった。

――その日は、風が強い日だった。

色とりどりの花弁が、白い綿毛が、風に巻き上がるように宙をくるくると舞っている。

夢のように美しい景色の中、小さな両手に花冠を握り締めたセシリーは、傍《かたわ》らに立つ少年の言葉を聞いていた。

「僕、明日出発するんだ」

「え？　どこに行くの？」

振り返ったセシリーは小首を傾げる。どこにお出かけに行くのだろう、と不思議そうにするセシリーに、彼は痛みを堪《こら》えるような顔をする。

「家族と一緒に、遠くに行くんだ」

「遠くに？」

黙り込むセシリーを不安にさせないためだろう、彼は早口で付け加える。

「でも、きっとここに帰ってくるよ」

「そっか……」

セシリーはぎゅっと唇をすぼめる。

遠くに行くということは、すぐに戻ってこられるわけではないのだろう。里には年齢の近い友人が少ないから、セシリーは少し寂しい気持ちになる。

そんな思いを素直に口にしようとする。だがそうしようとして、目の前のその子が表情を歪《ゆが》めているのに気がついた。

（……そうだよね）

里を出立《しゅったつ》する彼のほうがセシリーよりもよっぽど不安で、寂しい思いを感じているはずだ。

それなら、笑顔で送り出してあげたい。そう思って、セシリーは手にしていた花冠を彼に向かって突き出した。

「これ、あげる！」

「え？」

困惑の声が聞こえた気もするけれど、気にせず形のいい頭の上に花冠を載せてあげた。

白い花を集めて作った、世界にひとつだけの冠の出来映えを確かめて、セシリーはにっこりと笑う。

「やっぱり、思った通り！　すごくよく似合う。かわいいよ」

「……かわいいって」

彼の顔が不服そうに赤く染まる。

セシリーはますます楽しげに笑った。すると頬を膨らませた彼の手が、セシリーの両肩を掴《つか》む。

決して、強い力ではなかった。年齢もそう違わない子どもの力だ。セシリーは口元を緩ませたまま問いかける。

「なぁに？　どうしたの？」

「……あのさ。約束、してほしいんだけど」

「約束？」

聞き返せば、恥ずかしそうに頷《うなず》く。

そんな彼から、セシリーは目が離せなくなる。

花や果実よりもずっと美しい、その瞳から――。


「セシリーちゃん。僕が一人前になって帰ってきたら、そのときは……」


「…………みぎゅ」

つぶれたような声を上げて、セシリーの意識は急速に浮上していた。

頬をパンチングしてきたのは、黒猫ロロの前脚である。

いつもの朝食の催促だ。朝に弱いセシリーをどうにかして起こそうとしてくる食いしん坊のロロなのだが、その手段はわりと暴力的である。

「ロロったら。もうちょっと優しく起こしてよ」

「ミャア～ン」

ベッドからひらりと下りて、呑気《のんき》にお腹をぺろぺろと舐《な》めているロロ。どうやらセシリーの要望を聞く気はないようだ。

やれやれと呆《あき》れ顔を作ったセシリーは上半身を起こすと、思いっきり伸びをする。

欠伸《あくび》を漏らしながら思い返すのは、少しずつ朧《おぼろ》げになりつつある夢の中の光景だ。

「懐かしい夢を見たわ」

セシリーは目を細める。

十年近く前のあの日を最後に、会っていない。

今頃、彼はどこで何をしているのだろう。元気に過ごしているのだろうか。母に聞けば、何か教えてくれるかもしれないが。

記憶はかなり曖昧《あいまい》になってきて、彼の顔もはっきりとは憶えていない。けれどあの光を放つような美しい瞳だけは、今でも忘れてはいなかった。

「そういえばあの子の目も……赤かったわ」

その意味を、セシリーは起き抜けのぼんやりした頭で考えるのだったが、それどころではないのをすぐに思い出す。

「そうだ！　今日は、ジークのお家に招待されてるんだったわ！」

こうしちゃいられない、と転がるようにベッドから下りる。

そうしてあっという間に、幼なじみの双眸《そうぼう》のことは忘れ去っていたのだった。

第一話

恋する魔女は結婚したい

A witch in love has drugged
an elite knight with a
love potion.

毛先がくるりとウェーブがかった、優しげな亜麻色《あまいろ》の髪。

大きな赤い瞳を不安げに揺らしながら、お気に入りのエプロンドレスに身を包んだセシリーは、広い玄関に立ってぺこりと頭を下げていた。

「セ、セセッ、セシリー・ランプスと申します。ふつつか者ですが、あの、ジーク様とお付き合いをさせていただいております……！」

しゃちほこばったセシリーを、シュタイン家の面々は明るく出迎えてくれた。

「いらっしゃい、セシリーさん」

「私、ずっと娘がほしかったの。この歳になって、セシリーさんみたいなかわいらしい娘ができるなんて嬉《うれ》しいわ！」

穏やかな笑顔を浮かべているのは、ジークの父であるシュタイン男爵。弾む声でセシリーの手を取るのが男爵夫人である。

二人とも南部出身なのだろう。小麦色の肌は同じだが、ジークはどうやら母親似らしい。鋭利な褐色の瞳や、整った鼻筋が瓜二《うりふた》つだ。

「娘、はさすがに気が早いだろ母さん。セシリーさんがびっくりしてるよ」

「にしても、まさかあのジークが女の子を連れてくるなんてなぁ……」

二人の兄に至っては、感極まった様子で涙ぐんでいた。美丈夫《びじょうふ》のジークとはあまり似ていないが、二人とも温和そうな面立ちが父親にそっくりだ。

セシリーの隣に立つジークが複雑そうに口を噤《つぐ》んでいるのも、なんだかかわいい。思わず口元を緩ませていると、気がついたジークが顔を近づけてきた。

「何か楽しいことでもあったのか、セシリー？　俺に耳打ちして教えてくれ」

「えっ！　ち、違うのっ。別に変なことを考えてたわけじゃないわ！」

焦るセシリーを、ジークは愛おしげに目を細めて見つめている。とたんに漂い出す甘い空気に、一家はそれぞれ顔を見合わせて囁《ささや》きを交わした。

「……幻覚？」

「ジークがあんな蕩《とろ》けそうな顔をして女の子を見つめるなんて、アルフォンスくんに聞いてはいたけど信じられないわね」

「別人が中に入ってるとか？」

「やれやれ、みんな分かってないなぁ。愛する人ができると男は変わるんだぞ」

ジークファミリーがこそこそと会話している。しかしその会話の数々は、しっかりとセシリーの耳にも届いている。

（は、恥ずかしい……！）

すっかり赤面したセシリーが羞恥《しゅうち》のあまりふらつけば、その華奢《きゃしゃ》な肩をジークが支える。

「セシリーは恥ずかしがり屋なんです。からかうのはそれくらいにしてもらえますか？」

と彼が睨《にら》めば、男爵夫人はふふふと笑って手を叩《たた》いた。

「それじゃあさっそく、お昼にしましょう。腕によりをかけて用意したのよ」

「えっ、奥様がご準備をされたんですか？」

「ええ、昔から料理するのが好きなの。南部の料理がセシリーさんのお口に合えばいいのだけど」

セシリーは目を輝かせた。咳《せき》払いをして声色を整えると、おずおずと提案する。

「すごく楽しみです。わ、わたしにも、よろしければお手伝いさせてください」

男爵家では数人の使用人を雇っていると聞いてはいるが、ちょっとした料理の飾りつけや配膳だけなら、セシリーでもじゅうぶん役立てるだろう。

「あら、本当？　嬉しいわ！」

言葉通り、嬉しげに微笑んだ彼女に腕を取られ、セシリーは慌《あわ》てながら両足を動かす。

（ここが、ジークの暮らしてきたお家なのね……！）

爵位を得たばかりの男爵家と聞いているが、外観からして立派な邸宅は内装も一流の飾りつけが施されている。あまり詳しくないセシリーでも、調度品や絵画のひとつ取ってもセンスの良さが感じられるほどだ。

ダイニングルームはこぢんまりとしていて、その分、隣り合う人との距離が近い。貴族家として格式張るのではなく、シュタイン家では家族で過ごす時間を何より大切にしているのが感じられた。

セシリーは、数日前にジークから告げられた言葉を思い出していた。

（家族で集まって昼食を一緒に過ごすだけだから、普段通りでいいって……その言葉の意味が、よく分かったわ）

緊張していたセシリーを和《なご》ませるためでもあったのだろう。だがあの言葉は、本当に額面通りの意味合いでもあったのだ。

初めて訪れた家なのに、すでにセシリーが胸に温かいものを感じているように。

そうして穏やかに始まった昼食会は、客人であるセシリーにとっても楽しいものだった。

用意された昼食は豪勢なもので、見たこともない料理がいくつかあった。香辛料や果実を使った南部の料理は味つけが濃いがセシリーの好みに合い、すぐに虜《とりこ》になってしまう。

会話の中心となるのは華やかな男爵夫人だ。ジークはあまり積極的に喋《しゃべ》らないが、彼女に腕をつつかれると、二言三言の言葉を返している。

二人の兄たちは商家である実家を手伝っているという。現在は主に羊毛紡績業に取り組んでいるシュタイン家だが、いずれ経営者とその補佐としてさらに商売を発展させていく心積もりだと笑顔で語っていた。

男爵夫妻はもちろんのこと、セシリーは出会ったばかりのジークの二人の兄のことがすぐに好きになっていた。

兄弟仲がいいことは、事前にジークから聞いて知ってはいたものの、彼らが末弟を見る目には愛情と親しみがあふれている。

(ジークに誘ってもらえて、良かった)

数日前、ジークから家に来ないかと誘われたときは、心臓に負荷がかかりすぎてその場で倒れそうになったセシリーである。

人見知りの激しいセシリーなので、尻込みする気持ちはもちろんあった。それに勝ったのは、ジークの家族に会ってみたいという思いの強さである。

どんな家で、どんな人たちに囲まれて、ジークという人は育《はぐく》まれてきたのか。それを知りたいから、勇気を出してジークの誘いに頷《うなず》いたのだ。

それにここに来て、今まで見たことのないジークをいくつも見ている。気まずそうな顔、狼狽《うろた》えた顔、苛立った顔……家族にしか見せないのだろう表情のひとつひとつに、こっそりとドキドキしているセシリーだ。

そうして六人は和気藹々《わきあいあい》と会話を弾ませていたのだが、全員が食後のお茶に口をつけていたとき、男爵が「そういえば」と口を開いた。

繰り出されたのは、とんでもない発言である。

「二人はいつ頃結婚するんだ？」

セシリーが飲んでいた茶を噴かなかったのは幸運だったが、兄二人は勢いよく噴いていた。息がぴったりである。

（け、けけけ、結婚！）

付き合い始めたばかりなのに、それはあまりにも気が早すぎるのでは。

交際しているだけでドキドキしてそわそわして、幸せいっぱいのセシリーである。結婚などと、自分たちにはまだ早いと思っている。

セシリーはそう思って頬を赤くしたのだが、ジークの反応は違っていた。

隣の席の彼は、真顔で言い放ったのだ。

「俺は今すぐにでも結婚したいです」

「えっ」

セシリーは跳び上がった。

まさかジークが、そんな風に考えていたなんて。目を見開くセシリーとしっかりと目を合わせて、テーブルに頬杖《ほおづえ》をついたジークが柔らかく微笑む。

「セシリーを驚かせてしまうと思って、口にはしないようにしていたんだ」

つまりずっと前から、ジークは結婚したいと考えていたようだ。

褐色の瞳には、隠しきれない熱が覗《のぞ》いている。

「本当はセシリーと毎日一緒に過ごしたい。朝起きたらいちばん最初に君の顔を見て、挨拶代わりのキスをしたい。毎日、そんなことばかり考えてる」

「ジーク……」

それは、セシリー自身も何度となく夢見たことだった。

いつまでも居座るわけにはいかないからと、セシリーは一月前に雪花の宮を辞している。それからは王都近くの森にある小屋に戻ってきていた。

三日に一度は宮殿や厩舎《きゅうしゃ》に遊びに行くのだが、毎回のようにジークと顔を合わせられるわけではない。彼は聖空騎士団長として多忙な日々を送っているから、セシリーにばかり構ってはいられない。

少し寂しくはあるものの、国を支える重要な役割を担っている彼をセシリーは誇らしく思っている。

けれど、もしも結婚して、ひとつ屋根の下で過ごせるとしたならば――夢見ただけの景色も、現実のものとなるだろう。

「でもあの、その、……い、いろいろ準備とかあるし」

まごつくセシリーから、ジークは一度も目を逸《そ》らしていない。瞬きさえ惜しむように見つめている。

じーっと熱く見つめ続けている。

「嫁入り支度のことなら気にしないでくれ。俺がすべて抜かりなく準備しよう」

（じゃあもう結婚する！）

本能のままセシリーはそう答えようとした。というのもセシリーだって、ジークと結婚したいからだ。ここに牧師がいたならば、ジークの気が変わる前に誓いの言葉を問いかけてくれと急《せ》かしていたことだろう。

だが、直前になって少しだけ冷静さを取り戻す。

「ジーク。結婚する前に……わたしのパパに、挨拶をしてほしいの」

セシリーの母親であるグレタは、ジークのことを気に入ってくれている。二人の結婚に反対することはないと思われた。

となると――問題は父親のほうだ。

「ああ、もちろんだ。親御さんにはきちんと挨拶をしなくては」

頷くジークだったが、セシリーの表情は晴れない。

彼女はこくりと唾を呑《の》み込むと、意を決したように口を開いた。

「でもジーク。わたしが言うのもなんだけど、パパはすっっっごく過保護な人で……説得するのは大変だと思う」

（こんなことを言ったら、面倒に思われちゃうだろうけど……）

それでも、大事なことを隠してはおけない。ジークを騙《だま》すような真似はしたくなかった。

そんな不安に揺れるセシリーの手を取り、ジークが軽く口づける。

褐色の瞳には、強い決意が宿っていた。

「大切に育ててきた娘さんを、花嫁として迎えたいとお伝えするんだ。殴られる覚悟はいくらでもできているさ」

「ジーク……」

「こうなったら、なんとしてでも休暇を取って挨拶に行かないといけないな」

きゅん、とセシリーの胸がときめく。

――そんな恋人たちの様子を、にやけつつジークファミリーは眺めていた。

「結婚前からお熱いわね、二人とも」

「本当に。若かりし頃の私たちを思い出すな。今も負けているつもりはないけど」

「もういやだわ、旦那様ったら！」

「おれも婚約者とは、これくらいのテンションで話してみるかな！」

「やめといたほうがいいぞ、弟よ……」

その傍《かたわ》らで、すっかり他人の目を忘れたセシリーたちは心置きなくイチャイチャしているのだった。

◇◇◇

こうしてジークという初めての恋人を連れて里帰りすることになったセシリーだが、本人も失念していた大きな問題があった。

――そう、魔女の掟《おきて》である。

十五歳になった魔女には、二年の間、必ず世界を巡る旅をさせよ。

それは魔女の世界における掟のひとつだ。

（わたし、そもそも旅なんてしてないけど……）

右も左も分からないセシリーは、さめざめと泣きながら王都近くの森に引きこもって怠惰な一年間を過ごしていた。まったく世界を巡っていないのである。

しかし問題の根幹はそこではなく、セシリーがまだ十六歳だということだ。

旅なんてしていなかったという事実は隠し通せるにしても、年月まで誤魔化《ごまか》すことは不可能である。果たしてこんな状態で里帰りしていいものだろうか？　むしろ顔を見せるなり、追い返されるのではなかろうか？　と不安になっていた。

（分からないことは、知ってそうな人に訊《き》けばいいのよ！）

思い立ったセシリーは、雪花の宮に滞在中の母に訊いてみることにした。

庭で優雅にティータイムを楽しんでいた赤毛の魔女は、今日も若々しく麗《うるわ》しい。長い睫毛《まつげ》は優美にくるんとカールして、目元を美しく彩っていた。

グレタは突然やって来た娘を朗《ほが》らかに迎えた。

「あら、セシリーじゃない。どうしたの？　クッキー食べる？」

勧められた席に座ってすぐ、セシリーは口火を切った。

「ねぇママ。わたし、ジークと結婚したいの！」

「へぇ、いいじゃないの」

思った通り、グレタはあっさりと頷いた。否、思った以上にあっさりしている。

「ジークくん、かっこいいもんねぇ。よくあんな素敵な殿方を捕まえられたものだわ。若かりし頃のダーリンにそっくりよ」

「え？」

「もちろん、ダーリンは今でもかっこいいけど！」

「え……？」

ひとりで盛り上がるグレタだが、セシリーは懐疑的だ。

ジークがかっこいいのは言うまでもないが、父に似ていると言われるとなんとも微妙な気持ちになる。いわゆるマスコット的なかわいさがある父だが、世間一般的なハンサムとはほど遠いのだ。

まぁ、そのあたり突っ込むのは野暮であろうと話を元に戻す。

「それでパパにも結婚を許してほしいから、魔女の里に戻りたくて……あっ、戻るって言っても数日だけのつもりだけど。ジークもそんなに長くお休みは取れないだろうし」

言い訳がましい口調でセシリーが説明すると、やはりなんでもないようにグレタが頷く。

「いいんじゃないかしら、別に」

「いいの？」

あまりに軽い返事に、セシリーは戸惑った。しかしグレタはあっけらかんと言う。

「だって一時的な里帰りなわけでしょ？　いちいち目くじら立てる人なんていないわよ。むしろ二年経ちましたー、みたいな顔をしてればバレないかもしれないわ」

セシリーが不安がっている理由について、グレタは説明せずともとっくにお見通しのようだ。

だが、だからといって手放しに安心できるわけでもない。

「そんなものかなぁ……」

「そんなものよ」

セシリーは一生懸命に、『二年経ちましたー』という感じの貫禄《かんろく》ある表情を練習する。

紅茶を一口飲んだグレタが、そこで色っぽい溜《た》め息を吐《つ》く。

「でもあのダーリンが、そう簡単に結婚を許すとは思えないけど……」

「……だよねぇ」

がくりとセシリーは肩を落とす。そんな娘のしょぼくれた唇に、グレタがクッキーを押しつける。

「そんなときこそ笑顔よ、セシリー。かわいい娘のお願い事だもの、ダーリンだって無下にはできないはず」

「……ママ、説得するの手伝ってよ」

父は、母の言うことならだいたい笑顔で従う。

「それはあなたとジークくんががんばるところでしょ？」

その通りではある。

ぐぅの音も出ないセシリーは、無言でクッキーを頬張った。ものすごくおいしい。雪花の宮お抱《かか》えの菓子職人は一流の腕前なのだ。

「それとあたくし、そろそろ雪花の宮をお暇《いとま》するわ」

「そうなの？　どうして？」

「うふふ、いい女は奔放で飽きっぽいのよ。ダーリンへの愛だけは冷めないけど、ね」

ばちんとウィンクを決めながら言われても、セシリーは首を傾げてしまう。

「それ、ただ単にママが奔放で飽きっぽいだけだよね？」

「そんなこと言う子はお口のびのびの刑よ！」

「ひゃあぁ！　やめひぇぇぇ！」

厳しい刑に処され、セシリーは悲鳴を上げる。

「セシリーが……里帰りする……？」

その様子を物陰から、ひとりの少女がじっと見つめていたのだったが、涙目で逃げ惑うセシリーは最後まで気がつかなかった。

◇◇◇

その後、話はトントン拍子に進んだ。

最近は魔獣がどこかの地域で大量発生しているという話もなく、聖空騎士団が駆り出されるような事態が起こっていなかったのは幸運だった。

ジークの休暇申請は問題なく通り、むしろこの機会にゆっくり羽を休めるといいと上層部からは労《ねぎら》いの言葉をかけられたらしい。普段から、ジークが休日返上して働いているのは誰もが知っている事実なのだ。

何もかもは順調に思えた。

だが出発時間を目前としたその日、ひとつ大きな問題が起こった。

「頼むから、機嫌を直してくれ」

そうジークが呼びかける相手は、ゴツゴツとした岩肌のような白い巨体の生き物――ジークの相棒である、飛竜スノウだ。

「スノウ、聞いているのか?」

『…………』

スノウは返事をせず、明らかな不機嫌をその理知的な青い瞳に宿らせている。切実に呼ぶジークから、ぷいと顔ごと背けている様子はなんだか子どものようだ。

そんな二人――ひとりと一頭のことを、セシリーはロロと共に、厩舎の外から見守っていた。聖空騎士団が操る飛竜は、普段は穏やかだが凶暴さを秘めた生き物だ。騎士団員以外の人間は、厩舎に入るのを固く禁じられている。

「……ジーク、留守番をお願いするのは難しそう？」

小声で問いかければ、弱ったようにぐしゃぐしゃと頭をかいていたジークが、はっとしてこちらを振り向く。

「すまない、セシリー。説得にはもう少し時間がかかりそうだ」

申し訳なさそうなジークだが、今のところ説得の糸口はなさそうだ。

本来であれば、遠出において飛竜ほど頼れる存在はいないだろう。馬車で数日かかる距離でも、スノウに乗ればひとっ飛びで移動することができるのだから。

だが私用で飛竜を乗り回すのは言語道断である。今回、ジークは聖空騎士団長としての任務を帯びているわけではなく、セシリーと共に里帰りするだけなのだ。移動時間を短縮したい、なんて個人的な理由でスノウを頼ったりしたら、上層部から反省文を書かされるだけでは済まないだろう。

結果、残念ながらスノウにはお留守番をしてもらうことに決まったわけだが、彼女はまったく納得している様子を見せていない。むしろここ数日、何度もジークが頭を下げて同じことを繰り返しているからか、だんだんと意固地になっているようだ。

飛竜は賢い生き物だが、世話をする人にだけ懐くという習性がある。スノウ本人が協力的でなければ、ジークのいない聖空騎士団が彼女の世話を見るのは困難に思われた。

（もしもジークがいない間に、団員の誰かが怪我を負うような事態になったら大変なことだわ……）

セシリーは首を横に振った。

そんなことにならないように、自分は今日、無理を言ってここまで来たのではないか。

「ジーク、わたしがスノウと話してみてもいい？」

「セシリーが？」

提案するとジークはきょとんとしたが、小さく頷いた。

「……いや、俺からも頼む。でもそれ以上は危険だから近づかないようにな」

「うん、分かったわ」

セシリーはジークに頷いてみせてから、なるべくゆっくりとした動きで、扉の影から身体を現した。

明後日の方向を向いていたスノウが、首ごと動かしてこちらを向く。

セシリーの赤い目とスノウの青い目が、交錯する。

（飛竜を手懐《てなず》けた魔女の血は、わたしにも流れている）

獰猛《どうもう》で手のつけられない魔獣だった飛竜。それを変えたのが魔女の力だ。どうやったのかはセシリーにはさっぱり分からないが、古代の魔女は飛竜を人の手で飼育できる生き物へと変化させた。

以前スノウが暴走したことがあったが、その際もスノウはセシリーの呼びかけにだけは応じてくれたのだ。

うまくいくかは不透明だが、そのときのように挑戦してみる心積もりだった。

（まぁ、そもそもあのときは、なぜか口に咥《くわ》えられて大変だったんだけど……）

あの日のことを思い出すと、ちょっぴり頭痛がするセシリーだ。

私を口に咥えてお空を散歩してね、なんてセシリーは頼んだわけではないので、正直なところ勝算は薄い。しかし、やらないよりはましである。

「スノウ、久しぶりね。元気にしてた？」

努めて穏やかな口調で話しかければ、青い目がゆっくりと瞬きをする。まるで、セシリーの言葉に挨拶を返したかのように。

「ジークはね、わたしのパパに会うためにお休みを取ってくれたの。わたしたちの結婚のことを許してほしくて、会いに行くのよ」

セシリーは慣れ親しんだ友人に話しかけるように、軽やかに口を動かす。

スノウは女の子だが、セシリーにとって恋のライバルではない。それは彼女が飛竜だからではなくて、ジークの相棒だからだ。

敵ではなくて、共存できる仲間。ジークの矛《ほこ》であり、盾《たて》であり、翼であるスノウは、セシリーにとっても大切な存在である。

「スノウ。だから……少しの間でいいから、ジークをわたしに独り占めさせてほしいの。だめかしら？」

『…………』

首を傾げるセシリーを前にして、スノウは黙っていた。

だが、しばらくしてのっそりと巨体を起こす。そうして天井のほうを見やると、大きな喉を震わせてみせた。

『グルルッ』

見守っていたジークが目を見開く。セシリーはスノウに笑顔を向けた。

「分かってくれたのね。ありがとう、スノウ！」

『キュウウッ』

「セシリーの言うことは聞くのか……」

複雑そうにぼやくジーク。

（ジークったら、それはスノウの複雑な乙女心よ）

セシリーはこっそりと苦笑する。ひとりと一頭は唯一無二の相棒同士だが、だからこそ、たまに遠慮なく拗《す》ねたり怒ったりすることもあるだろう。

だが、これでスノウの説得は成功した。

顔を綻《ほころ》ばせるセシリーの近くまでジークが戻ってくる。

「ありがとうセシリー。おかげで助かった」

「ううん。わたしも久々にスノウと話せて嬉しかったから」

ジークは微笑みを浮かべて頷くと、厩舎の外に控えていたシリルたち団員に言い放つ。

「すまないが、俺が留守の間スノウのことを頼むぞ」

「了解しました、団長！」

ジークは細やかな注意事項についてシリルたちに伝えている。

何はともあれ、どうにかなりそうだ。セシリーはほっと胸を撫《な》で下ろした。

そうして数時間後、出発の時刻を迎えたセシリーたちだったが――。

「話はすべて聞いたわ。わたくしも一緒に行くわよ、セシリー！」

「シャ、シャルロッテ様？」

そこに勢いよく現れたのが、カゼアニア王国第五王女シャルロッテである。

師と親友が宮殿を出て行ってしまってから、ちょっとだけ元気のなくなっていたシャルロッテだが、今日の彼女は何やらやる気に満ちている。

ふわふわとウェーブがかかったピンクブロンドの髪は、二つに結《ゆ》って肩に垂らしている。エメラルドの瞳は宝石のようにきらきらと輝き、薔薇色《ばらいろ》の頬は興奮に火照《ほて》っている。

お出かけ用なのだろう、常よりレースや飾りの少ない動きやすそうなドレスをまとった王女は、溌剌《はつらつ》としていて可憐《かれん》だ。

「えいっ」

するとシャルロッテはおもむろに、白い指をぱちりと鳴らした。

それが合図だったのだろう。石畳の路を、二頭立ての馬車が颯爽《さっそう》と二台やって来る。

ぽかんとするセシリーとジークに、シャルロッテはえへんと胸を張ってみせた。

「お父様にお願いして、最新技術を結集し一流職人たちによる超スペシャルな馬車を造ってもらったの。飛竜には負けるけれど相当な速度が出るし、お尻も痛くならないわ！　小窓によって内部の温度を調整して、いつ乗っても快適な温度が保たれるようになっているし、盗賊やならず者対策として外からは開けられない素材を使っているの！　それなのに外観は大してお金のない商人風の馬車を装っているから、そもそも誰にも狙われないわ！」

「な、なんだかすごいですね」

ぺらぺらと早口で、まくし立てるように説明するシャルロッテにセシリーは圧倒される。

シャルロッテにはとにかく甘いという国王は、財力に物を言わせてとんでもないものを用意したようだ。

「でね、だから、つまりその。……里帰り。わたくしも、一緒に行きたいのだけれど」

見目麗しい第五王女に上目遣いで見つめられ、ジークとセシリーは顔を見合わせる。

シャルロッテは説明口調を駆使してまで馬車の有用性をアピールしてくれている。それはシャルロッテが、本気で二人の旅行に同行するつもりだからだろう。

「わたしとしては、シャルロッテ様が一緒に来てくださるのは嬉しいです」

ジークとの初めての旅行にわくわくしていたが、友人であるシャルロッテとの旅行も楽しそうだ。

しかし問題がある。

（シャルロッテ様の身の安全のためには、一個師団の護衛をつけても足りないんじゃや……）

しかも普段その役割を果たしている聖空騎士団の団長ジークは、休暇を取ってセシリーの故郷についてきてくれるのだ。セシリーの父親に挨拶するためという、個人的な用件で。

聖空騎士団の同行は難しいとして、他の騎士団が駆り出されるとしても、かなり仰々《ぎょうぎょう》しい一行になるだろう。

（そもそも魔女の里に、騎士団を入れるのは難しいと思う）

魔女の薬を悪用しようと目論む輩《やから》はいくらでもいる。

現代の魔女は、基本的には人間の目から隠れて生活している。といってもセシリーが小さい頃から、里の外から友人や恋人を連れ込んでいる人は何人もいた。魔女の結婚相手は人間に限られるので、当然ではあるが。

昔、邪《よこしま》な企みを持つ人間を里に招き入れてしまった魔女もいたそうだが、その際は責任を取ってその男をボコボコにし、特定の記憶を奪う薬を飲ませて追い払ったという。そのおかげで、里の位置は公には知られていないのだ。

今回の場合、信頼できるジークやシャルロッテを連れて行っても怒られることはないだろうが、よく知らない人を含んだ騎士団に里の位置を教えるのは憚《はばか》られた。

セシリーがいろんなことを不安に思っていることを感じ取ったのだろう。シャルロッテが鼻息荒く言う。

「あっ、わたくしの護衛にはアルフォンスの下半身がつくから安心してちょうだい」

「そうそう。殿下のお世話係はオレに任せてよ、二人とも」

「アルフォンス様まで……」

「一応言っておくと、身の回りの世話はマリアがしてくれるから問題ないわ」

シャルロッテの後ろに控えていたマリアが深々と頭を下げる。ひとりでは服も着られないシャルロッテなので、旅路に侍女は必須であろう。しっかり者のマリアがついているなら、セシリーも安心だ。

「――そういうわけだから、いいでしょう？　迷惑はかけないわ。というか、追い返そうったってそうはいかないわよ。もうわたくし決めたんだもの」

断られる可能性があると、自分でも分かっているのだろう。シャルロッテは気丈にセシリーとジークを睨んでくるが、震える子犬のような潤んだ瞳には迫力が皆無である。

ジークがセシリーを見つめる。セシリーは笑顔で頷きを返した。

逡巡《しゅんじゅん》はあったものの、それはシャルロッテの申し出を迷惑がってのことではないのだ。

「迷惑だなんてとんでもないことです、殿下」

ジークはその場に片膝をつき、シャルロッテを見上げる。

何よ、というようにシャルロッテは頬を膨らませている。かわいらしい王女に、ジークは言い聞かせるように優しい口調で言う。

「しかしながら、城下では危険なこともあるでしょう。そんなときは必ず俺やアルフォンスの指示を聞いてください。……それだけはお約束いただけますか？」

「わ、分かったわっ。約束するっ」

こくこく、と激しく頷くシャルロッテに、ジークが柔らかく微笑む。

「であれば、セシリーも賛成していますし、反対する理由は俺にはありませんね」

「本当っ？　良かった……！」

ぱぁっとシャルロッテの表情が明るくなる。

すっかり浮かれたシャルロッテが、ぎゅうっとセシリーに抱きついてくる。

「じゃあ馬車は、男女別々に使うわよ！」

「えっ……」

シャルロッテの宣言に、アルフォンスが呟《つぶや》いた。解せない、と言いたげに。

◇◇◇

紆余曲折《うよきょくせつ》を経て、最終的に一台目の馬車にセシリー、シャルロッテ、マリアが、二台目の馬車にジークとアルフォンス、ロロが乗り込み、一行は魔女の里に向けて出発していた。

見事に女性陣、男性陣で分かれている。最後までアルフォンスは不服そうだったが、シャルロッテの下した決定とあらば、さすがに口は挟めなかったようだ。

それにしても、思った以上にアルフォンスは護衛任務に真剣に取り組んでいるらしい。きっと別々の馬車では警備が甘くなる点を気にしていたのだろう、とセシリーは感心していた。

(でもシャルロッテ様は、男性全般が苦手だものね)

彼女を溺愛《できあい》する兄弟たちによって、男性という生き物のおそろしさを叩き込まれたシャルロッテは、異性に対して強い恐怖と忌避感を抱いている。

セシリーの見たところ、最近はごくわずかに症状が改善されてきたようではあるが、ジークやアルフォンスと閉鎖空間で長く過ごすというのは、シャルロッテにはまだ難しいのだと思われる。

そう考えると、そもそもシャルロッテが同行を申し出たのは不思議でもある。

普段、シャルロッテの周囲にいる男性といえば聖空騎士団くらいだ。だが宮殿を一歩でも出てしまえば、その数は倍増どころではなくなる。

向かい合う形で座るセシリーに向かって、シャルロッテが小首を傾げてくる。

「セシリー、どう？　お尻は痛くない？」

「今のところ平気です。むしろ快適すぎるかも」

「でしょう！」

馬車といえば、数時間も乗っていれば腰やお尻が痛くなるし、閉塞感で息が詰まるもの。人によってはひどく酔うこともある。

だがこの馬車は違う。石畳の敷かれていない荒れた道でもほとんど揺れることがないし、車内にはしっかりと防音が施されているようで、車輪の音もほとんど聞こえてこないのだ。

椅子は柔らかく体重を受け止めてくれるので、クッションを使わずとも問題ない。長時間の移動にも耐えられるよう、数多くの工夫が施されている馬車である。こんな代物が販売されたら、どの貴族家でもこぞって買いたがることだろう。

「でもなんだか、その……ちょっと速すぎるような……」

外の景色はヒュンヒュンと音が出るような速度で流れに流れている。馬車が速すぎるのだ。里に向かうだいたいの方向は御者に伝えているのだが、通り越していないかとセシリーは何度か不安になった。

「ムキムキの馬たちが引っ張っているから、当然よ」

（確かにムキムキだったわ）

あんなに筋肉が発達した馬を、セシリーは今まで見たことがなかった。

盗賊に狙われにくい対策うんぬんと口にしていたシャルロッテだが、そもそもそこらの馬に乗って疾駆《しっく》してもこの馬車には簡単には追いつけないだろう。追いつけたとして、ムキムキの馬の鼻面で吹き飛ばされるのが落ちだ。

(でもこの調子なら、明日の朝には魔女の里に着けそう)

ジークが取れた休暇は七日間。もともとは往復に六日間近くかかる見込みで、ほとんど里には滞在できない予定だったのだが、この調子で移動すれば五日間くらいは留まれそうだ。馬車には圧倒されたものの、シャルロッテのおかげで助かった。

「ところでシャルロッテ様。どうしてわたしたちについてきてくださったんですか？」

馬車は王都を抜けて、小さな森の中を進んでいる最中だ。セシリーが問いかけると、シャルロッテは唇をすぼめた。

「やっぱり迷惑だった？」

「そんなことありません。ただ、宮殿の外には男の人も多いですから……どうして、無理して来てくれたのかなって思ったんです」

市井《しせい》にはあふれるほど多くの人が住んでいる。女性がいれば、シャルロッテの苦手とする男性もいるだろう。

メスの犬がいればオスの犬だって駆け回っているはずだ。城の外に出ては、男性を避け続けるのはまず不可能である。

そんなことはシャルロッテも分かっているだろうが、心配であるのは変わらない。セシリーが問いかけると、シャルロッテは俯《うつむ》き気味にぼそりと呟いた。

「それは、だって………たいじゃない」

「え？　なんですか？」

声が小さくて、よく聞き取れない。

するとシャルロッテは顔を真っ赤にして、思いっきり叫んだ。

「しっ、親友の生まれ育った場所なんだから、一度くらい見てみたいじゃない！」

言葉の意味が真水のように胸に浸透していけば、セシリーは思わずそこを押さえてしまう。

「シャルロッテ様、それは……かわいすぎます！」

「かわいすぎますね」

横のマリアが頷いている。

「うるさいわね、二人してからかわないでよっ」

ふんっと鼻息荒く、窓の外に顔を向けるシャルロッテ。紅潮した頬を隠したつもりだろうが、本人は耳まで赤くなっているのに気がついていない。

そこで「あっ」とシャルロッテが声を上げた。窓の外を指さしている。

「セシリー、セシリー！　あれは何かしら？」

興奮気味に呼ばれたセシリーもまた、景色を眺めてみる。言っている間に、もうそれは後方に過ぎ去って見えなくなっているが……。

「あれは水車です、シャルロッテ様」

「ああ、田んぼに用水路の水をくみ上げるのに使うのよね！　じゃああっちは？」

「あちらは農家のおじさんです」

「すごいわ、農家のおじさんの下半身が見られるなんて……！」

シャルロッテは身を乗り出して、すっかり窓の外に釘《くぎ》付けになっている。

「だめだわ！　速すぎてもう見えなくなっちゃった！」

秋の爽《さわ》やかな風が、えくぼが浮かぶ頬を優しく撫でていた。

(そうよね。シャルロッテ様は、王女様なんだものね)

元気に下半身下半身言っているシャルロッテを見るとたまに忘れそうになるが、彼女は歴《れっき》としたカゼアニア王国の王女である。

外の世界を知らずに育ったシャルロッテにとって、宮殿の外は珍しいものばかりなのだろう。本人が言っていたように、セシリーの生まれた場所を訪れてみたいという気持ちもあったのだろうが、国民が生活を営む町や村を実際に見てみたいという思いもそこにはあったのではないだろうか。

はしゃぐシャルロッテを眺めていると、久々の里帰りでちょっぴり緊張していた気持ちが解《ほぐ》れていく。

セシリーは口元に緩やかな笑みを浮かべた。

「楽しいですね、シャルロッテ様」

「本当ね！　じゃあ、今度は女旅をしましょうよ。グレタ先生も誘って」

「ふふっ、いいですね」

歓談を楽しみながら、セシリーは持ってきた荷物からとある物を取り出す。

休憩予定地はまだ先だ。シャルロッテやマリアとお喋りを楽しみながら、手元で残りの作業を進めようと思っていた。

「セシリー、それって……この前から刺繍《ししゅう》してる？」

「はい、そうです。まだジークには内緒ですよ？」

「分かってるわっ」

唇に人差し指を当ててお願いすれば、シャルロッテが両手で口元を覆ってこくこくと頷く。

魔女の里に着いてから完成させる予定だったのだが、ジークは別の馬車に乗っているので見られる心配がない。それにこの馬車なら、ほとんど揺れないので手元が狂うこともないだろう。

「きっと団長の下半身、喜んでくれるわよ」

「うーん……怒られないですかね？」

ちょっとだけセシリーは不安だった。

「怒るわけないじゃない。それどころか、満面の笑みで小躍りするに違いないわ」

くすくすと軽やかにシャルロッテが笑う。その声を聞きながら、セシリーは丸い刺繍枠を大切そうに撫でたのだった。

◇◇◇

一方その頃。

二人の男と一匹のオスを乗せた馬車には、陰鬱な雰囲気が漂っていた。

「何が楽しくて、男二人と一匹で馬車に乗らなきゃいけないんだか……」

「ナア……」

「むさ苦しい絵面だよ……」

「ンナア……」

ロロまでも、アルフォンスに同意見のようだ。座面を転がってふて腐れている。

だが腕組みをしたジークは彼らに賛意を示さなかった。というのもまったく反対の意見を持っていたからだ。

「そうか？　俺は別に構わないが」

「ええ？　ジークだって、セシリーちゃんとイチャイチャしながら馬車旅したかったんじゃないの～？」

揶揄《やゆ》するように言うアルフォンスに、ジークは首を傾げる。

「こうしてアルとのんびりする機会なんて、そうそうないだろう？　たまにはいいじゃないか」

最初は険悪だったジークとアルフォンスだが、今ではお互いの背中を預けられる間柄だ。仕事と離れた場所で、腹を割って話す時間もかけがえのないものになることだろう。

ジークがそう恥ずかしげもなく口にすれば、アルフォンスは困ったように目を泳がせる。照れているのだった。

「……これを本気で言ってるから、うちの団長は人たらしだよね」

「ミャアーン」

ころころ、と柔らかい座席の上を、楽しそうにロロが転がっている。

「それにセシリーとは、今まで何度か馬車に乗って心置きなく過ごしているからな。心配には及ばない」

「急なノロケを喰《く》らった……そういえば、実家にもセシリーちゃんを連れて行ったんだもんね。家族公認の仲ってわけだ」

「これから、セシリーのお父上にも認めてもらわねばならないが」

「きっと大丈夫だよ。肩の力抜きなって」

ぽんぽん、とアルフォンスがジークの肩を叩く。

どうやらジークが気を張っていることに、アルフォンスはとっくに気がついていたらしい。ジークは少しだけ笑って、「ああ」と頷いた。

「しかし……シャルロッテ殿下は、どうやって陛下を説得したんだ？」

シャルロッテやアルフォンスが旅行についてくるつもりだとは、ジークもまったく聞いていなかった。

国王や王子たちは、シャルロッテを目に入れても痛くないという具合に激しく溺愛している。ほとんど護衛もなしに宮殿の外に出るなどと、そう簡単に許すはずがないのだ。

しかし事実として、シャルロッテはこうして旅のメンバーに加わっている。その理由がジークには分からなかった。

「『パパ』」

「……は？　急にどういうつもりだ」

ぶるりと身震いするジークに、アルフォンスが肩を竦《すく》める。

「『パパって呼んであげるから、お願い』って陛下に迫ったんだよ、シャルロッテ殿下が」

「ああ……」

なるほど、それは国王には効果覿面《こうかてきめん》だっただろう。

ここ数年、シャルロッテは国王たちの前に数えるほどしか顔を見せていない。すっかり男性恐怖症に陥ってしまった愛娘が『パパ』などと愛らしく呼んでくれたのならば、国王に折れる以外の選択肢はなかったはずだ。

「今は『パパ』の破壊力にやられて寝込んでるそうだよ。諸外国に知られたら危ないね」

シャルロッテ、恐るべしである。ジークは思わず身震いした。

「にしても、パパ、か……」

セシリーの父親とは、いったいどんな人物なのだろうか。

グレタがあまりにも奔放なので、なんとなく似たような人物を想像するジークだったが、セシリーの話によるとまったく違うタイプの人であるようだ。

窓に肘をついたジークは、ふぅと息を吐く。

アルフォンスの言う通り、今から不安に思っていても仕方がない。そうは分かっているのだが、父親の過保護ぶりを心配そうに語るセシリーの様子が、頭に思い浮かんでいた。

第二話

パパはゼッタイ認めませーん！

A witch in love has drugged
an elite knight with a
love potion.

馬車の旅路は大きなトラブルも発生せず、順調に進んだ。

宿場町では温泉に入り、地元名産の食事を堪能《たんのう》した。初めて見るものだらけでシャルロッテが大騒ぎしてしまい、夜に微熱を出してしまったものの、今朝には無事回復した。

そうして王都を出て、二日目の昼のこと。

一行は馬車を降りて、人里離れた低山の中を進んでいた。ここまでは馬車が入ってこられないため、御者と共に麓の村で待機させることになっている。

最初は木道を使っていたが、一時間ほど前から整備されていない道に入った。均《なら》していない地面は歩きにくく、体力も奪われやすい。

「皆さん、もうすぐですからね！」

セシリーは後ろを歩く面々に向かって呼びかける。

最初はがんばって自分で歩いていたシャルロッテだが、力尽きて今はマリアの背にぐったりとおぶわれている。マリアはといえば顔色ひとつ変えず、ジークとアルフォンスの間をしっかりとした足取りで進んでいた。

ちなみにジークもアルフォンスも、山中に入る直前に上品な青の制服に着替えている。言うまでもなく聖空騎士団の制服だ。

（『セシリーのお父上には正式な服装でご挨拶したい』だなんて、ジークったら真面目なんだから）

が、実はセシリーとしても賛成ではある。理由はただひとつ、ジークの制服姿はとびきりかっこいいからだ。

王都では名を馳せる聖空騎士団だが、おそらく魔女の里の住人たちは彼らの服装までは把握していない。国王の差し金かと疑われることはないはずだ。

水分補給や軽い食事休憩を挟みながら、やがてセシリーが立ち止まったのは、猟師ですら寄りつかないだろう山奥——そそり立つ巨大な岩壁の前だった。

「ここです」

「え？　ここ？」

汗を拭ったアルフォンスが首を傾げ、周囲を見回す。

「ここ、って言われても……セシリーちゃん、何もないよ？」

「ちょっと後ろで待っていてくださいね」

セシリーはアルフォンスを制して、苔《こけ》むした冷たい岩肌に両手で触れる。

大きく鼻を動かして、新鮮な山の空気を肺いっぱいに取り込む。全身が洗われるような心地を覚えながら、セシリーは唱えた。

「【開封】」

大昔、力の強い魔女が張った結界。人避けと隠蔽の効果を持つそれに穴を作るようなイメージで、魔力を流し込む。

セシリーは一歩後ろに下がる。とたんに岩壁の中央から、ぼこりと音がする。

「皆さん、危ないのでもう少し後ろに下がってください！」

数千年もの間、動いたことはないだろうと思われた大岩に亀裂が走る。みるみるうちに岩は砕け、空間に溶けるように消えていく。

最後には小石や土煙が残ることもなく、人が造ったトンネルのような道が目の前に現れる。セシリー以外の面々は、全員が絶句していた。

「このトンネルを抜けた先に、魔女の里があるんです」

「……すごいね、これ」

驚嘆するアルフォンスやマリア。ジークはといえば、考え込むように顎に手を当てている。

「一見すると、ただの岩壁に見えたが……実際は、そうじゃないということだな？」

ジークはさすがに慧眼《けいがん》だ。

切り立つ岩の壁は存在しない。最初から、ここには魔法で作られた岩のトンネルがあるだけだ。

だがその現実の景色を、人の目と脳では認識できないようになっている。

「魔女の里は必ず、人の目から隠されているから。ここは山奥の岩場に見えるように仕向けられてるけど、他にも水の中や、氷の大地、楽園の花園、崖にある岩棚とか、ありとあらゆる場所に里があるんだって」

わたしは他の里には行ったことないんだけど、とセシリーは付け足す。

「水の中に、楽園の花園……見てみたいわね。が、崖は怖いけど……」

シャルロッテも、魔法の光景を前に元気を取り戻している。

「じゃあ、行きましょう。ここまで来ればもうすぐです」

そう一同に呼びかけて、セシリーは歩き出す。ロロも長い時間を過ごした場所が近いと分かっているのだろう、そんなセシリーを先導してくれる。

トンネルの先に、セシリーの故郷がある。セシリーも足に疲労が溜《た》まっていたが、もうすぐだと思えば身体の底から力が湧いてきた。

――魔女の里。

そう呼ばれる場所は各地に散らばっているが、セシリーが住んでいたそこは特に小さな集落である。

住まうのは五十人ほどの魔女と呼ばれる女性と、その家族のみ。年々、住民の数は減り続けている。他の里に移動したり、旅に出かけたり、子どもに恵まれない家もあるからだ。

魔女の里といえども畑があり、家畜を飼っているので人の住む村と大差ない。ただし畑を耕して家畜を世話するのは、大半が里に住む人間なのだが。

唯一特異なことがあるとするならば、どの家も大きな工房を持っていることだろう。

ときどき、魔女は調合した薬を、近くの村や町に住む人間に売りに行く。稼いだ金で植物の種や野菜、家畜を買うためだ。

ぐねぐねとした道をいくつか曲がっていくと、家々の屋根が遠目に見えてきた。昼間の陽光に照らされた里は、セシリーの目には輝いて見えた。

「わー、なんか意外だ」

牧歌的な風景を前に、アルフォンスは目を丸くしている。

「そうですか?」

セシリーが首を傾げれば、アルフォンスは頬をかいて続けた。

「いや、セシリーちゃんには悪いんだけどさ……魔女の里っていうくらいだから、ちょっと不気味な感じを想像してたんだよね。空は薄暗くて、真っ黒のカラスが鳴いて、トカゲが這《は》うのは怪しげな黒い家ばかり……みたいな」

「ちょっと分かるわ。でも、ぜんぜんそんな感じじゃないわね」

アルフォンスとシャルロッテの率直な物言いに、セシリーはくすりと笑う。

「そうですね。魔女の里っていっても、そこまで変わったところはないです。黒と赤色が好きだったり、ちょっとヘンテコな風習とかはありますけど……みんな、当たり前に過ごしているだけですから」

そう説明していたセシリーは、あっと口を大きく開けた。

「みんな！」

手を振って、そう呼びかける。

里の入り口付近で井戸端会議に明け暮れていた魔女たちが、「あれ?」という顔でこちらを見る。

侵入者ではないかと訝《いぶか》しむ顔もあったが、赤い目をしたセシリーに気がつくなり目を見開いている。

「セシリーお姉ちゃんだ！」

棒を手に遊んでいた子どもが指さして叫んだかと思えば、住人たちが駆け寄ってくる。

「セシリー！　セシリーじゃないの！」

「まさかセシリーが先に戻ってくるなんて」

「それにしても早い帰りね！」

「ううん、早くないわ。二年経ったから！」

セシリーは『二年経ちましたー』の顔をきりりと形作った。

「何言ってるのこの子。まだ一年でしょ」

（バレた！）

あっさりと嘘《うそ》は看破《かんぱ》されたが、それはいい。なんせ一年ぶりの感動の再会なのだ。

「みんな、ただいー──」

涙目で抱きつこうとしたセシリーの横をすり抜けて、彼女たちが取り囲むのはジークやアルフォンスである。

「みんな見てぇ！　かっこいい！　何この人たち！」

「見てよこの厚い胸板！　ああん、男前すぎるぅ！」

「背高い！　黒髪！　コワモテ！　素敵！　抱いて！」

アルフォンスも見目麗《うるわ》しい青年なので、わいわいと魔女たちに囲まれているが、それ以上に人気なのがジークだ。麗しき花に群がる蝶《ちょう》のように女たちが一斉に集い、ひしめき合っている。

ジーク本人はといえば、目をぱちくりとさせている。明らかにこの事態に戸惑っているようだったが、礼儀正しい騎士団長は気を取り直したように生真面目に挨拶をした。

「セシリーとお付き合いをさせていただいております、ジーク・シュタインと申します」

「「「ジークくぅん♡」」」

ジークの挨拶の声を掻《か》き消す勢いで、きゃあっっと黄色い歓声が上がる。グレタに年齢の近い彼女たちがこんな甲高い声を上げるところを、セシリーは初めて目撃していた。

「名前までかっこいいわ。カンペキだわ」

「外の世界で、こんなイケメンを捕まえてきたの⁉　やるわね、セシリー！」

「ねぇお兄さん、今からでもあたしに乗り換えない？」

「今晩うちに来てよ。旦那には内緒にしておくから……ね？」

「ちょっと！　やめてよ！」

セシリーはキレた。どさくさ紛れにジークを口説こうとするのはやめてほしい。

あちこちからジークめがけて飛んでくる投げキッスをはたき落とし、眉をつり上げる。

「勝手にジークの身体に触らないで！　ジークの厚くて勇ましい胸板も割れた腹筋も、わたしのものなんだから！」

気が昂《たか》ぶって常日頃は口にできないような、大胆な発言までしている。

そんなキレ散らかす恋人の姿を見守りながら、ジークがきっぱりと言う。

「すみません。俺は生涯、セシリー以外の女性は目に入らないものですから」

魔女たちが、一斉に目を丸くする。

「それに――、俺のこの身体は、余すところなくセシリーのものなので」

胸に手を当てて微笑むジークの色っぽさに、きゃあっと叫びながら何人かがその場に倒れる。

どうにか倒れる直前で耐えた顔見知りの魔女たちに、セシリーは肘で突かれた。

「ベタ惚《ぼ》れされてるのね、セシリー」

「悔しいけど、アレは付け入る余地がなさそうだわ。お幸せに」

セシリーはとうとう真っ赤になってしまう。

「もうっ、いい加減にしてよ！」

からかい甲斐《がい》のある若人たち相手に、楽しげにケラケラと笑う魔女たち。

その後ろで、マリアもまた子どもたちに取り囲まれている。子どもたちはマリアが背負うシャルロッテに釘《くぎ》付けになっていた。

「かわいいー、髪の毛ふわふわ。お姫様みたーい」

「お人形さんみたいにきれーい」

「そ、そうよ。わたくしはお……あっ」

きゃっきゃとはしゃがれて、赤い顔をしていたシャルロッテは口を噤《つぐ》む。

魔女の里に来るに当たって、シャルロッテの身分や名前は伏せることになっている。素直に王女だと明かすのはいくらなんでも危険だからだ。

「お？」

「お、お、おじょ……そう、いいとこのお嬢様のロッテよっ。こっちは侍女のマリア。団長の下半身とアルフォンスの下半身はわたくしの騎士。それでわたくしは、セシリーのお友達なんだから！」

「え？　かはんしん？」

「みんな、よろしくね～。ロッテお嬢様とたくさん遊んであげてね」

女性陣から解放されたアルフォンスが、ひらひらと手を振る。その優しげな微笑みに、変な単語に困惑していた少女たちがぽっと林檎《りんご》のように頬を赤くした。

「……アルフォンスくん、ちょっとかっこいいね」

「え？　そう？　あはは、ありがとう」

子どもの言うことだと呑気《のんき》にアルフォンスは笑うのだが、シャルロッテはむっと頬を膨らませている。

「さっそく幼女の心を弄《もてあそ》ぶなんて、アルフォンスの下半身は本当に油断も隙もないわねっ」

「どうしたんですか殿……お嬢様。やきもち？」

「はぁあっ⁉　誰が――」

シャルロッテが怒鳴りかけたそのときだった。

「セシリイイイ！」

人混みの向こうから、掠《かす》れた男性の声が聞こえてきた。

何事かと全員が目を向ける。そこに立っていたのは、縦に小さく、横に大きな体格をした、生成《きな》りのスーツを着た中年男性だった。

亜麻色の髪に、黒い瞳。肥えているので若く見えるが、額や頬には滝のような大量の汗をかいている。

ぜえぜえしているその人物に向かって、セシリーが声を張り上げた。

「パパ！」

「ああっ、セシリー！」

親子感動の再会を邪魔する者はいない。魔女たちは微笑みつつ道を空けてくれて、そこをよたよたと太った男性――スウェルが早足で抜けてくる。これが彼の最大速度なのだ。

二人はひしっと抱き合った。肉太の胸と手の中に、華奢《きゃしゃ》なセシリーはすっぽりと収まってしまう。

「帰ってきたんだね、おかえりなさい！　今までひとりで大変だったろう……！」

「大丈夫よパパ。ロロが一緒だったもの」

「そうかい、そうかい」

目を潤ませて、スウェルが頷《うなず》く。感激のあまりか、鼻水まで垂れそうになっている。

「よろしければ、こちらをお使いください」

そんなスウェルに、ジークが自然とハンカチを差し出した。

(相変わらず、ジークの気遣い力はピカイチだわ！)

きゅんっとするセシリーだったが、なぜかスウェルは硬直している。垂れかけていた鼻水も、どこかに消え去ったようだ。

「ええっと……君は？」

「ジークと申します」

ジークの次は、シャルロッテたちも順々に名乗る。

そのたびぼんやりと頷くスウェルだったが、彼の目はちらちらとジークを見ている。父親として、早くも何か察するものがあったのかもしれない。

「え、えっとね。パパ……」

どう切り出したものかとセシリーは迷う。するとスウェルが咳払《せきばら》いをした。

「……何か話があるなら、家に帰ってから聞こう。セシリーも、皆さんも疲れているだろうからね。お茶でも出すよ」

そこでマリアが、申し訳なさそうな笑みを浮かべる。

「お気遣いありがとうございます。しかしロッテ様は、里の中が気になるようでして……できれば、あちこち見学できればありがたいのですが」

段取り通りのマリアの言葉に、スウェルは朗《ほが》らかに頷いた。

「ぜひ、そうしてください。大して珍しいものはありませんがね。案内役は、誰か……」

「「「私私私ぃ！」」」

アルフォンス人気がすさまじいので、案内役は取り合いになっている。

「「「ロッテちゃんと遊ぶ！」」」

子どもたちまで盛んに立候補していた。

そんな喧噪《けんそう》の最中、シャルロッテが背伸びをして耳打ちしてくる。

「……セシリー、何かあったら呼んでちょうだいね」

「分かりました、シャ……ルロッテ様」

「ルロッテじゃなくて、ロッテよ」

「ロッテ様！」

「それよ！　じゃあ、わたくしたちは行ってくるわね」

シャルロッテが、マリアとアルフォンスを連れて離れていく。

その場に残されたのはセシリーとジーク、スウェルの三人だけだ。

（ここからが本番だわ……！）

今回の旅の目的は、里帰りそのものではない。

セシリーとジークの関係をスウェルに認めてもらい、結婚式に向けての準備を整えること――それがセシリーたちの第一目標なのだ。

（わたしは、ジークと結婚したい！）

セシリー自身、今のところ強い結婚願望がある――というわけではない。セシリーはジークと一緒にいるだけで幸せだし、今はそれだけでじゅうぶんだと考えているからだ。

しかし先ほど、女性陣に囲まれているジークを見てセシリーは強く思ったのだ。

ジークはとにかくかっこいい。後ろに流した黒髪、切れ長の褐色の瞳。高い鼻筋に薄い唇、よく鍛え上げられた身体。背も高いし、まさに、文句のつけようもない美丈夫《びじょうふ》である。本人は自覚が足りないようだが、これでもてないわけがない。

しかも彼は一見すると冷徹そうに見えるのに、実際は穏やかで優しく、他者への気遣いに満ちている。ギャップ萌《も》えまで兼ね備えた最強の男なのだ。

そんなジークの魅力に気づいている人はまだ少ないものの、ノラのような例もある。セシリーが気を抜いたら、あっさりと泥棒猫に奪われてしまうかもしれない。

（結婚したら、彼に群がる女も少しは減るはずよ……！）

「どうしたんだ、セシリー。やけに張り切っているな」

家に向かう最中。瞳に炎を燃やすセシリーに、ジークはすぐに気がついたらしい。

「……あのね、ジーク。わたし、やる気なの」

それが危機感と焦燥感を募らせてのことだと、ジークは気がついていないだろう。だが結婚にこれ以上なく前向きな姿勢を見せるセシリーに、ジークは嬉《うれ》しげにしていた。

「もちろん俺もだ。必ず俺たちのことを、セシリーのお父上に認めてもらおう」

「うん！」

スウェルの後ろでこっそりと、指を絡める形で手を繋《つな》ぐ。

やり取り自体は小声で交わされていたものの、その瞬間スウェルの頬がびきりと引きつったことなど、もちろん二人とも知る由はない。

（パパ、許してくれるかな……）

セシリーはスウェルとグレタの間に生まれたひとり娘だ。待望の子どもだったらしく、スウェルはとにかくセシリーに過保護である。

今から一年前、セシリーは魔女の掟《おきて》によって魔女の里から追い出され、二年間の修行をすることになった。そのときもスウェルは最後まで反対し、せめて自分がついていくと言い張って泣き喚《わめ》いたため、呆《あき》れたグレタによって睡眠薬を飲まされてしまったのだ。

スウェルの愛は、いつもセシリーを優しく包んでくれた。セシリーは優しいスウェルのことが大好きである。

そんなスウェルだからこそ、ジークとの関係を認めてほしいと思うのだ。

セシリーの家は、ジークの実家に比べてずっと小さい。木造のかわいらしい家にはアーチつきの庭があり、そこにはかわいらしい秋の花が揺れている。

玄関に飾られているのは、セシリーが小さい頃に作ったドライフラワーのリースだ。

こっそりとジークが囁《ささや》いてくる。

「将来、俺たちもこんな温かな家に住みたいな」

「ジークったら、もうっ……」

スウェルがギシギシと歯軋《はぎし》りをする音も、頬をぷにぷにし合う二人には聞こえていない。

「それじゃあ、応接間に、行こう、か」

ぎこちなく言いながら、スウェルが二人を案内する。

家の中は、一年前とほとんど変わっていない。どこか懐かしい気持ちになりながらセシリーは廊下を進んだ。

ソファ席には、ジークと並んで座る。以前のセシリーはスウェルと並んで座っていたのだが、今はそうするのがセシリーにとって自然なことだった。

ハァ、ハァ、と肩で荒く息をしながら、スウェルがひとりでソファに座り込む。

「それでね、パパ。話したいことがあるんだけど」

「…………」

先ほどから俯《うつむ》きがちなスウェル。

よく見ると、握ったこぶしがぶるぶると小刻みに震えている。少し様子がおかしいが、セシリーはそんなことに構っていられなかった。

「ねぇパパ。話があるの、聞いてくれる？」

「…………」

スウェルからの答えはない。再びセシリーは口を開こうとしたが、ジークがそんなセシリーの手にそっと自身のそれを重ねる。

スウェルの面前ということもあってか、手はすぐに離れたので、意味するところは制止のようだった。

（ジーク？）

セシリーが見やれば、ジークは「任せてくれ」というように頷いてから口を開いた。

「お義父さん。俺はセシリーと交際しています」

それは、実に彼らしい直球な物言いだった。

ジークは両膝に手を置くと、大きく頭を下げた。

「どうか、セシリーとの結婚をお許しください。お願いします」

「き、ききっ、君に父と呼ばれる筋合いはないんだよ！」

バン！　とスウェルが握りこぶしでテーブルを殴り、「痛いっ」と悲鳴を上げる。

「だ、だいたいなんなのさっきから君は！　親の後ろでセシリーとこっそり手を繋いで、イチャイチャして、どういうつもり⁉」

（バレてた⁉）

セシリーは顔を赤くした。バレないスリルを味わってドキドキしていたのに、まさかスウェルに気づかれていたとは。あまりに恥ずかしい。

しかしこれではジークの分が悪い。加勢するようにセシリーはすっくと立ち上がった。

「パパ、そんなこと言わないで。わたし、ジークと結婚したいの。本気なの！」

「セ、セシリー……」

信じられない、というようにスウェルが目を見開く。

だがその目は、急速に潤んでいった。セシリーがぎょっとする目の前で、スウェルは両の瞳からぽろぽろと涙をこぼし始める。

「やだよ、セシリー。結婚なんてしないでよぅ。ずっとパパと楽しく暮らそうよぉ。パパを捨てないでよぉ！」

「ちょ、ちょっとパパッ。ジークの前で恥ずかしいってば……！」

「セシリーにとっては恥ずかしいパパかもしれないけど、パパはセシリーのことが大好きなんだよぉ」

「そ、そんなこと言ってないでしょっ？」

セシリーはそう言い返すが、スウェルは完全に冷静さを欠いている。

「なんと言われようと、ぼくはゼッタイに認めないよ。セシリーはこれからもパパと一緒に暮らすんだもん！　お嫁になんか行かないんだもん！」

「パ、パパ……」

子持ちの中年男性がとうとう「だもん！」とか言い始めてしまった。

「いやだいやだぁ。もう何も聞きたくないぃ」

涙と鼻水を垂れ流しながら、「やだもんやだもん」と連呼するスウェル。

これでは話を進めるのは無理だろう。セシリーは困り顔でジークを振り返った。

想定よりも強い拒絶ではあるが、反対されるのは予想していたことでもある。目顔で合図すると、セシリーはスウェルに声をかける。

「パパ、驚かせちゃってごめんね。ちょっとジークと外に出てくるね」

（これはいったん、仕切り直さないとだわ）

その間にスウェルも冷静さを取り戻してくれるかもしれない。

しかし宥《なだ》めるようなセシリーの言葉にも、スウェルはいやいやするように首を振る。

「どうしてだぁ、ここはセシリーのお家じゃないかぁ。どうしてその男と出て行くんだぁ。パパは駆け落ちなんて許さないぞおぉ！」

「だ、大丈夫。駆け落ちなんてしないわ、すぐに帰ってくるから！」

「んあああぁ」

スウェルは半狂乱の様相で、セシリーに縋《すが》りついてくる。

さすがに見かねたのか、ジークが立ち上がった。

「セシリー、俺だけ外に出てくる」

「ジーク、でも……」

「大丈夫だ。それより、積もる話もあるだろう。スウェルさんとしばらく歓談を楽しんだらどうだ？」

ジークの表情に怒りはない。むしろ、泣き叫ぶスウェルへの労《いたわ》りがそこにあった。

セシリーは唇をぎゅっと噛《か》み締めて、ひとつ頷いた。ジークは笑みを浮かべ、応接間を出て行く。

（ジークの優しい人柄を、パパにも分かってほしいのに）

だが、焦りは禁物だ。

ぐすん、ぐすんと涙ぐむスウェルの、贅肉《ぜいにく》の中に沈む肩にセシリーは手を置く。

うるうるしたスウェルがセシリーを見上げてくる。

「セシリー……、パパのこと嫌いになっちゃった？」

「なるわけないじゃない。大好きよ、パパ」

頬に軽く口づけすれば、スウェルの瞳に少しだけ生気が戻る。

（今は、パパを落ち着かせないと）

急《せ》いては事をし損じる。パニックになり、意固地になれば、ますますスウェルはセシリーたちの話に耳を傾ける気をなくしてしまうだろう。そうなっては本末転倒だ。

「ママだって、パパのこと大好きでしょ？」

「グレタ……愛しのグレタ」

その名前を出せば、スウェルの目には光が宿る。

「そうだ、グレタがセシリーに会いに行くって飛び出していったんだけど、ちゃんと会えたかい？」

「ええ、会えたわ。またどこかにふらりと行っちゃったんだけど」

結婚の件について話した翌日、グレタは雪花の宮から姿を消していた。行き先も告げていないので、どこに行ったかは不明だ。

「もうひとつ頼まれ事があったからね。でも、もうすぐ帰ってくるだろう。ああ、早く三人で過ごしたいなぁ」

（頼まれ事？）

その内容は気になったが、セシリーはまずスウェルの手を導いて隣の席に座った。ソファ席の四分の三以上はスウェルのあふれ出た肉で埋まっているが、それでもぎりぎり座るスペースはある。

「パパ、たくさん話したいことがあるの。聞いてくれる？」

「ああ、もちろん。この一年、セシリーはどんな風に過ごしていたんだい？」

ひしっと手を握られたセシリーは、少しずつ話していく。

魔女の里を追放されて、王都近くの森に住んでいたこと。ロロと一緒に小屋で過ごしたこと。

シャルロッテやアルフォンスの名前を出せば、スウェルは「素敵な友人ができたんだね」と顔を綻《ほころ》ばせていた。

だが、意識的にジークの名前は出さないようにする。またスウェルがショックを受けないようにするには、致し方のないことだった。

そうすると、この一年間の思い出はひどく味気ないものに感じられたが、スウェルは嬉しそうに何度も頷いて話を聞いていた。

それから数時間後。

（結局、もう夕方になっちゃった……）

セシリーは肩を落として、家の庭先に出ていた。

夕暮れに染まる花壇を眺める。セシリーの予定では今頃、ジークとスウェルは肩を組んで酒を酌み交わしドンチャンしているはずだったのだが、なかなかうまくいかないものだ。

今、スウェルは夕食を作ってくれている。グレタは家事が大の苦手なので、以前から家のことはスウェルが取り仕切っている。

久々に親子水入らずの食事を楽しもう、と言われては断れなかった。もし食事の席にジークを誘おうものなら、またスウェルの精神は均衡を崩してしまうことだろう。

「ううん、諦めるのはまだ早いわ。明日も明後日もあるじゃない！」

ぐっ、と拳を握る。移動時間を大幅に短縮できたので、里に滞在できる時間はかなり延びた。スウェルを説得する時間はまだまだ残されている。

そのとき、裏庭に続く石砂利の道が音を立てた。セシリーが目を向けると、そこから姿を現したのはジークだった。

「セシリー、ここか」

「ジーク！」

すぐさま駆け寄ると、ジークが表情を和らげる。

「君の声が聞こえたから来てみた。今までアルたちと合流して里の見学をしていてな。魔女の里で育てている特殊な薬草や、魔法薬の調合に使う工房を見せてもらった。とても興味深かったぞ」

「…………」

「それと今夜は、全員マジョリカさんの家に泊めてもらうことになった。俺は右の角部屋を借りる予定だ」

「そうなのね。マジョリカおばあちゃんが……」

マジョリカは御年百歳を超える老婆だ。誰に対しても親切なマジョリカは、魔女の里の重鎮的存在としてみんなに慕われている。

里の誰よりも、住民の事情に通じているのがマジョリカでもある。スウェルがジークを受け入れないと見て、助け船を出してくれたのかもしれない。

「だから心配しないでくれ、セシリー」

セシリーは笑みを浮かべる恋人を見上げ、謝罪の言葉を口にした。

「……ごめんなさい、ジーク」

「ん？　どうして謝るんだ？」

何事もなかったように振る舞ってくれるジークは、とても優しい。だがセシリーも、同じようにはできない。

「だって、まさかあそこまでパパが拒絶するなんて……わざわざわたしの家まで来てくれたのに、本当にごめんなさい」

セシリーは頭を下げた。

ジークは忙しさの合間を縫って、こうして足を運んでくれたのだ。セシリーがジークの立場だったとしたら、きっと無理解な義理の父に苛立ちを感じてしまう。

(両親の理解が得られないのは、カップルが別れる要因にもなるって聞くわ……)

考えれば考えるほど、恐怖しかない。

心細くて震えるセシリーの頭を、軽くジークが撫《な》でる。

「セシリー、そんな風に思う必要はない」

「でも……」

「お義父さんが――スウェルさんがあんなにも君と俺の結婚をいやがるのは、セシリーのことを心から愛しているからだろう?」

「……っ」

セシリーは言葉に詰まった。

「むしろ俺のほうこそ申し訳なかった。我慢が利かずセシリーと手を繋いでしまったのもそうだし、スウェルさんの気持ちを思いやらず、単刀直入に結婚の申し出をしてしまった。謝れる機会があるといいんだが」

眉根を寄せているジークを見上げて、セシリーは堪《たま》らない気持ちになる。

(こういうところも、好き)

ばかがつくほど真面目で真摯。それに、不器用だ。

『飲ませた相手に対して、とんでもなく素直になる薬』の効果が切れてからも、ジークはこんな風に率直な言葉をセシリーに伝えてくれる。どんなに照れくさくても、逃げずに真正面から向き合ってくれる。

そんなジークが、愛《いと》おしくて仕方がない。

「ところで、セシリーは父親似なんだな」

「え？」

「優しい目尻とか、鼻の角度とか、愛らしい輪郭とか……よく似ているなと思って」

どうやらジークは本気だった。スウェルは散々失礼なことを言ったのに、彼は怒りを感じていないようだった。

「……ジークは、優しすぎるわ」

セシリーが上目遣いで睨《にら》みつければ、フッとジークが口のはしをつり上げる。

「顔に似合わないだろう？」

「……ばか」

ぐりぐり、とジークの胸にセシリーは頭を押しつける。

軽く受け止めたジークが、セシリーの小さな頭を撫でてくれる。

「それに——大切だからこそ、愛娘《まなむすめ》を奪おうとする男が許せない。俺も、スウェルさんの気持ちが少し分かる気がする」

「……そうなの？」

顔を上げたセシリーに、ジークが目を細めて頷く。

「たとえば君と俺の間に、セシリーそっくりの女の子が生まれて、その子が結婚したいと言って恋人を家に連れてきたら……俺は、おいそれと頷けないだろう。むしろそいつをぶん殴ってしまうかもしれない」

急になんの話をしているのだろう。

「い、いくらなんでも、気が早いわ」

「真っ赤だぞ」

「ジークのせいよっ」

結婚前だというのに、もう子どもの話をするだなんて。

でも、とセシリーは想像してみる。セシリーによく似た女の子を、もう少し歳を重ねてさらに男前に磨きがかかったジークが、目元を和《なご》ませて抱き上げる場面を。

それはなんだか、目蓋《まぶた》の裏に描くだけでとても素敵な光景だったから。

セシリーは夢見るように呟《つぶや》いていた。

「わたしは、ジークそっくりの男の子もほしい。それに、女の子も」

「……っセシリー」

苦しそうに息を吐《は》いたジークが腰を屈めて、セシリーの耳元にひっそりと囁いてきた。

「それは、俺を誘惑しているのか？」

「えっ。そ、そんなつもりじゃ……」

セシリーはただ、思ったことを口にしただけなのだが。

「そんなつもりにしか、聞こえない」

「……っ」

甘く掠《かす》れた声に鼓膜が揺らされて、背中がぞくぞくとする。

ジークがセシリーの耳たぶを撫でる。感触を確かめるように、親指と人差し指の間でふにふにと形を変えられれば、セシリーはふるりと震えてしまった。

少しずつ空気は、甘みを帯びていく。

「セシリー、かわいい」

「ちょ、ちょっと。ジークっ――」

「あれれ、この声、何かなぁ！」

二人は同時に跳び上がった。

慌《あわ》てて振り返れば、庭に出てきたスウェルが包丁を手にしている。周囲を見回す目は血走っていて、その様子はさながら幽鬼のようだ。

「無垢《むく》な兎《うさぎ》ちゃんを誑《たぶら》かす、邪《よこしま》な狼《おおかみ》の声が聞こえるなぁっ？　どーこかなぁっ？」

「パパ！　パパ、危ないからとりあえず包丁を置いて！」

「あっ、セシリー！　うふふ、パパはセシリーのために野菜たっぷりのミネストローネを作ってるよ。ウィンナーもたくさん入ってるからね。それにセシリーの大好物のハンバーグも作ったんだ、とっ

ずにすぐに伝わったのだろう、ジークは音を立て
てもおいしいよ……」

「パパ、ありがとう。分かったわ、だから落ち着いてゆっくり、深呼吸をするの。そう、ゆっくり！」

セシリーは目顔でジークに「逃げて」と告げる。すぐに伝わったのだろう、ジークは音を立てず素早く裏庭を出て行った。

ようやくスウェルの手から包丁を奪い取ったセシリーは、大きな溜め息を吐いた。

（さ、先が思いやられるわ……）

娘に関わることとなると、スウェルはとんでもない地獄耳である。

これでは里にいる限り、ジークと落ち着いて話をするのも難しそうだと、セシリーは頭を抱えるのだった。

第三話

幼なじみとの再会

A witch in love has drugged
an elite knight with a
love potion.

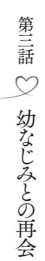

翌日。

起床したセシリーは身支度を整えて、一階へと下りていった。

二階の右奥にあるセシリーの部屋は、一年前と何も変わっていなかった。ときどきスウェルが掃除してくれたようで、室内は清潔に保たれていて、シーツからはお日さまの香りがした。

本棚に置き去りになっていた絵本の類いも、そのままだ。旅の疲れもあったのか、昨夜はそれらを懐かしく読み返している間に、気がつけば眠ってしまったのだった。

覗《のぞ》き込んだダイニングルームからは、食欲をそそる香りが漂ってくる。食事の支度を手伝おうと思っていたのに、スウェルは早起きしてくれたようだ。

「おはようパパ。ごめんね、もう準備してくれたの？」

「あっ、セシリー！　おはよう！」

昨晩はスウェルと二人きりで食事を楽しんだ。そのおかげでスウェルの気分はだいぶ和《なご》んだようだ。今朝も上機嫌そうにエプロン姿でにこにこしている。

「ホットサンドとおいものスープを作ったよ。食べるだろう？」

「うん、もちろん」

主夫であるスウェルは料理全般が得意だ。毎日の食事だけでなく、しょっちゅうお菓子も作ってくれていた。近所の子どもたちは、よくスウェルの菓子目当てに家の前に集まってきたものだ。

セシリーもひとり暮らししていただけあり、調理は苦手ではないのだが、スウェルの実力には遠く及ばない。

(パパに、料理や刺繍《ししゅう》を教わりたかったな)

席について具だくさんのホットサンドを頬張りながら、セシリーはふぅと悲しげな息を吐く。

いわゆる花嫁修業、というのだろうか。ジークとの結婚を見据えて、セシリーは自身の家事の腕前を上げたいと思っていた。無理をするなとジークは言ってくれるだろうが、そうではなくて、セシリーはジークにとって頼れる存在でありたいのだ。

スウェルに教わることができないなら、マリアにお願いしてみるべきだろうか。しかし彼女は彼女で職務に忙しい人だから、シュタイン男爵夫人に頼んでみるのも――。

(って――弱気になっちゃだめよ、わたし)

気がつけば、スウェルの説得は無理だと思いかけている。

こんなに拒絶されるなら、説得できずともいい、ジークの家族は祝福してくれているのだから問題ない……そんな風に考えかけていたのを自覚して、セシリーは情けなくなった。

父親に了承されず結婚するのは、幸福ではない。

それは一般論だけれど、そもそもセシリーはスウェルに認めてもらいたいのだ。スウェルのことが好きだからこそ、祝ってもらいたい。笑顔で送り出してほしい。

(それに、ジークは諦めてないもの!)

昨日、別れ際にジークはセシリーのポケットにメモ書きを入れてくれていた。そこには翌日の昼前、マジョリカの家の前で会おうと書いてあった。シャルロッテたちも来る予定だからと。

ホットサンドの残りを口の中に放り込む。

「ごちそうさま。とってもおいしかった！」

お皿を片づけて洗い終えると、セシリーはダイニングルームを出ようとした。娘と食後のコーヒーを楽しむつもりだったらしいスウェルは、とたんに不安げな顔をする。

「セシリー、どこに行くの……？」

「ロッテ様たちとお散歩に行く約束をしてるの」

正しくは作戦会議の場を設けるのだが、そんなことを正直に明かすわけにはいかない。

昨日からジークの名前も出さないように気をつけている。これはジークのことが大好きなセシリーにとってとんでもない苦痛だったが、スウェルの心境を慮《おもんぱか》れば致し方ないことだ。

「そうなんだ。ロッテさんたちはセシリーの大切なお友達なんだものね……」

まだスウェルが何か言っていたが、セシリーはそのときには家を飛び出していたのだった。


「こっちよ、セシリー！」

マジョリカの家の近くまでやって来ると、シャルロッテがぶんぶんと元気に手を振っていた。近くに立っていたマリアが頭を下げる。二人と挨拶を交わしたセシリーは、首を傾げた。

「ジークとアルフォンス様は？」

「……団長たちの下半身なら、子どもたちに連れて行かれたわ。お花畑がどうのって。わたくしとマリアはここでセシリーを待つことにしたのよ」

護衛任務を放棄されたからか、シャルロッテは不機嫌そうだ。二つに結《ゆ》った髪の毛を手で握り締めて、ふるふると揺らしている。

(でも、里の中は平和だものね)

そもそも入り口が隠蔽されているので、良からぬ目的を持つ人間は内部の者に招き入れられない限り、ここに入ってこられない。アルフォンスも安全だと判断して、シャルロッテの傍《そば》を一時的に離れているのだろう。

「里の外れに、小さな花畑があるんです。私も小さい頃はよくそこで遊びました。たくさんの花が自生していて、けっこうきれいで……」

言いかけて、そんなのシャルロッテは興味ないかと思い直す。王女であるシャルロッテは、権威ある賞を取って宮殿に飾られるような美しい花に見慣れているのだ。

しかしシャルロッテは興味深そうに相槌《あいづち》を打っている。

「ふぅん、そうなのね! あとで一緒に行きましょうよ」

「……はいっ」

セシリーは笑顔で頷《うなず》いた。

そんなセシリーを見つめていたシャルロッテが、ふっと頬を緩める。

「セシリー、いつもより表情が明るいわね」

「え?」

「明るい、とは違うのかしら。お父上の下半身に結婚を反対されてしまったって、団長の下半身も言っていたしね。でも……なんていえばいいのか分からないけれど、雪花の宮にいるときのセシリーは、ちょっと緊張してるでしょう？」

セシリーは首を縦に動かした。その自覚はある。

「ここはセシリーの生まれ育った場所だから、きっと心からリラックスできるのね」

「……そうかもしれません」

シャルロッテは、よく見てくれている。セシリー自身も気がついていなかった変化を、しっかりと読み取ってくれていた。

人見知りで引っ込み思案なセシリーだけれど、魔女の里に住むのはセシリーが赤ん坊の頃から知っている人たちばかりだ。あるいはその逆で、セシリーがおしめを替えてあげた子もいる。

だから里にいると、自然とセシリーの表情は柔らかくなり、声色が豊かに弾むのだろう。

「シャルロッテ様も、思ったより元気そうで良かったです」

「そうね。この里、女性のほうが多いからかしら。なんだか安心するのよ」

「それに、だいぶ女性が強いですね」

マリアが付け足す。

「分かるわ！」

セシリーとシャルロッテは顔を見合わせて、くすくすと笑う。

二人と話していると、セシリーは心が晴れていくのを感じた。まだ大きな問題は残っているものの、里に戻ってきて、そして友人に里を好きになってもらえて良かった。そんな風に思うのだ。

そのとき、笑っていたセシリーの脛《すね》のあたりに、何かもふっとしたものが当たる。

ん？　と視線を下ろすと、そこにはロロがいた。

「ロロじゃない。どうしたの？」

ただの黒猫に見えるロロだが、その正体は魔獣で、簡単な魔法を使うこともできるらしい。相変わらずセシリーにはロロの喋《しゃべ》る声は聞こえないので、ただの黒猫にしか見えないのだが……。

ロロはセシリーの問いには答えずに、マジョリカの家から離れたところまで歩くと、ちらっとこちらを振り返ってくる。

いったい何が言いたいのか。きょとんとするセシリーの服の袖を、シャルロッテがぐいぐいと引っ張ってくる。

「セシリー、これはあれよ。『ついてこい』ってやつよ！」

「そうなんですか？」

「生き物が急にこういう仕草をするのは、ぜんぶそういう意味なの。小説の中で何度も見たから間違いないわ！　行きましょう！」

まくし立てるように口にしたシャルロッテに手を引かれ、とりあえずセシリーは彼女についていく。

ロロはしばらく歩くと立ち止まり、こちらを振り返るという動作を繰り返す。どうやら里の入り口に向かっているようだが、何か新しい遊びだろうか？

「入り口近くに、人が集まっていますね」

「あれ？　本当ですね」

ロロを眺めていたので気がつかなかったが、マリアの言う通り、向かう先には人だかりができている。まるで昨日セシリーたちが帰ってきた直後のように。

(誰か、旅から戻ってきたとか?)

人垣の中心は誰だろうかと目を凝らしていると、手前に立つ長身の青年が目に入る。

(ジーク!)

子どもたちと両手を繋《つな》いだジークだった。アルフォンスと何か話している。二人とも背中を向けていて、こちらにはまだ気がついていない。

話していた魔女のひとりが、セシリーに気がつく。

「いいところに来たわねセシリー。懐かしいのが帰ってきてるわよ」

「え?」

「――セシリー、久しぶり」

人垣の中から進み出てきたのは、ひとりの青年だった。

セシリーはきょとんとする。ぱちぱち、と目をしばたたかせた。

(誰?)

まったく見覚えのない青年だ。

肩までの長さの艶めく薄紫色の髪に、蠱惑的《こわくてき》な赤い瞳。少女と見紛《みまが》うほどに整った容姿だが、飾り気のない黒い服をまとう細身の身体は、程よく筋肉質である。

「僕のこと、憶えてないかな?」

少し自信なさげなその表情。

じっと見つめていると、眠っていた古い記憶が、ゆっくりと呼び起こされ――目の前の青年の顔と幼なじみの顔が重なったとき、セシリーはあっと声を上げた。

「もしかして……ケイン？」

「うん、そうだよ」

嬉《うれ》しそうに綻《ほころ》んでいく顔を見れば、疑いようがない。

セシリーはシャルロッテと手を繋いだまま、彼に駆け寄った。

「うわぁっ、びっくりした！　本当に久しぶりね、十年ぶりくらいかしら？」

あの頃とはずいぶん印象が違う。

少女のように可憐《かれん》で愛らしかった同い年のケイン。彼はあの頃とはすっかり見違えていた。セシリーより小さな体軀《たいく》をしていたのに、見上げるくらいに身長が高くなっている。

「いつ戻ってきたの？」

「たった今だよ。十年間の修行を終えて、里に帰ってきた。グレタさんに付き添ってもらってね」

ケインの後ろから、グレタがウィンクしてくる。

(頼まれ事って、このことだったのね)

昨日セシリーたちを見て、近所の魔女たちが不思議そうにしていたのも頷ける。偶然、ケインが戻ってくる日とセシリーたちが里帰りする日取りが重なったからだ。

「……ていうかママ、なんでケインのこと先に教えてくれなかったの？」

じっとりとした目で睨むセシリーに対し、グレタは溌剌《はつらつ》と笑ってみせる。

「何言ってるのセシリー。黙ってたほうが楽しいからに決まってるじゃない！」

セシリーはそれ以上は突っ込まないことにした。そもそもグレタに常識は通じないのだ。

（それにしても、十年間の修行って）

ケインを見上げていて、あっと思い出す。夢の中でも、その目の色が印象に残っていた。

「そういえば、ケインって魔女だったの？　赤い目をしてるわよね？」

その場にいた魔女たちが一斉に呆《あき》れた顔をする。

「……やっぱり僕が魔力持ちだって知らなかったんだ、セシリーは」

ケインが苦笑する。話を聞いていた魔女のひとりが口を開いた。

「ケインはね、魔力を持って生まれた唯一の男の子なのよ。一般的な魔女と比べても魔力が強すぎるから、大きな魔女の里で魔力をコントロールするための修行を積んでいたの。そこで魔女じゃなくて魔法使い、っていう特別な呼び名で呼ぶことに決まったそうよ」

「そ、そうだったんだ……」

今さら重要なことを知ったセシリーは、ぽかんとしてしまう。

（それってけっこう、すごいことなのでは？）

今までの長い歴史の中、魔力を持つ男性は生まれたことがない。ケインは世界でただひとりの存在ということだ。

「突然変異みたいなもので……別に大したことじゃないんだけど」

謙遜するケインは、あの頃とちっとも変わっていない。

「ところでさ、セシリー。十年前のことなんだけど」

「十年前?」

聞き返すセシリーに、ケインが頬をかく。

「う、うん。僕らが十年前に交わした約束――」

「セシリー」

後ろから呼ぶ声がして、セシリーははっとした。

ジークやアルフォンスが少し距離を置いてこちらを見ている。シャルロッテに至っては初対面の男性に驚いたのだろう。繋いだ手を離して、セシリーの背中に隠れていた。

セシリーは不手際を反省しつつ、笑顔で紹介する。

「ジーク、みんなも紹介するね。彼はケインといって、わたしの幼なじみなの。……といっても、わたしも会ったのは十年ぶりだけど」

「初めまして、ケイン殿。ジークと申します」

「………どうも」

礼儀正しいジークに対し、ケインのほうは無愛想な態度である。

少しむっとするセシリーだが、注意するほどのことではないかと口を噤《つぐ》む。

(初対面の相手だから、緊張してるのかしら?)

そういえば昔のケインは、かなり人見知りが激しかったような気がする。最初に会ったとき、セシリー相手にも怖がっていた記憶があった。

こほん、とセシリーは軽く咳払《せきばら》いをする。

「それでね、ケイン。ジークはわたしの恋人なの」

「……え？」

その瞬間、ケインの表情がぎこちなく軋《きし》んだ。

「恋人？　この男が、セシリーの？」

「もう、そんな言い方やめてよ」

セシリーはじっとりとした目つきでケインを睨《にら》む。里のみんなにも散々からかわれてきたのだ。

「言いたいことは分かるわ。ジークは本当にかっこいいもの、わたしにはもったいないくらい……」

「それは俺の台詞だな、セシリー。君以上の女性は、世界中を探しても見つからない」

「もう、ジークってば……」

「この二人、すごい速度でノロけてくるわね」と魔女たちがひそひそ交わす声も、セシリーたちの耳には入らない。

その間も、ケインはジークのことを食い入るように見つめている。

「ケイン？　どうかしたの？」

「……ああ、いや。なんでもないよ」

セシリーが問いかけると、ケインが首を横に振る。

少しの沈黙。グレタが全員に聞こえるように、大きな声で言う。

「今夜は集会所で宴を開くわよ。セシリーとケインくんお帰り会と、ジークくんたちいらっしゃい会と、美しきグレタお疲れ様会を合同でやることになってるの。セシリーたちも準備手伝ってちょうだいね」

「何から何まで一緒くたにしすぎじゃない？」

「いいのよ、細かいことは」

まったく雑なんだから、と呆《あき》れるセシリー。

「宴だなんて楽しみですね、ロッテ様」

「うぅ……知らない下半身は怖いわ……」

「でもお嬢様、セシリーちゃんのお父上にはふつうに挨拶してたじゃないですか」

「それはなんか、クマのマスコット感があったから平気だったの」

「クマは凶暴ですけどね」

「どちらかというと狸《たぬき》に似ていたと思いますが……」

シャルロッテたちののんびりとした会話を聞きながら、セシリーは首を捻《ひね》った。

先ほどケインがなぜかひどく険しい目で、ジークを睨んでいるような気がしたのだが……。

（気のせいかしら？）

ケインは心優しい少年だった。初対面のジークを、理由もなしに睨んだりしないはずだ。

たぶん、見間違いか何かだろう。セシリーはそう結論づけたのだった。

◇◇◇

宴の準備は滞りなく進んだ。

集会所といっても、主に子どもたちに勉強を教えたり、お泊まり会をするのに使用されているところなので、仰々《ぎょうぎょう》しい雰囲気のない施設である。

セシリーたちが主に担当したのは、集会所の飾りつけだ。

造花をあしらったクリーム色のカーテンで内装を彩り、同色の絨毯《じゅうたん》を床に敷き詰める。

ティーテーブルにはレースのテーブルマットを敷き、花瓶には花畑で摘んできたかわいらしい花を活けた。そのあたりは宮殿の侍女として務めるマリアのセンスが抜群にいいので、セシリーたちは彼女の指示通りに動き回った。

(マリアさんはやっぱりすごいわ。いつもの集会所と、ぜんぜん印象が違う)

明るい雰囲気の集会所に、子どもたちのテンションも上がっている。

遺伝子に焼きついた習性なのか、魔女はとにかく黒や赤色を好む。そのせいで集会所はいつもどんよりと暗く怪しい感じか、あるいは色めいたクラブのようになるのだが、今日は温かみがあってとても素敵だ。

夕方になったら庭やバルコニーに続くドアを全解放して、自由に出入りできるようにするらしい。燭台《しょくだい》にオレンジ色の炎が灯ったら、ますます魅力的な空間になるに違いない。

準備が一段落したところで、セシリーはケインのことを思い返した。

（せっかく十年ぶりに会ったから、いろいろ話したかったのに……）

ケインを誘ったら、長旅で疲れているからと申し訳なさそうに断られてしまった。

彼の両親は、今も大きな魔女の里に滞在している。そちらが気に入ったので、今後も住む予定なのだそうだ。

ケインは十年が経ってじゅうぶんな修行を終えたので、グレタに連れられて一度戻ってきた。今後どうするかはまだ決めていないらしい。

とりあえずと彼が向かったのは、セシリーの家だ。一部屋だけ客人用の部屋があるので、もともとそこを使う予定だったという……。

「それじゃ、カンパーイ！」

物思いに沈んでいたセシリーははっとした。

「か、乾杯！」

手にしたグラスをとりあえず掲げて唱和する。勢いよくがぼがぼと飲み干していく魔女たちは、さっそくおかわりを注いでいる。魔法薬を扱うからか、魔女には酒好きが多いのだ。

時刻は夕方。集会所では宴が始まっている。

セシリーは十六歳なので、成年を迎えている。しかしお酒はあまり得意ではないので、ぶどうジュースをこくこくと飲んでいた。

テーブルにはおいしそうな料理が並んでいる。スウェルもいくつかの料理を提供したらしい。

「うぇーい」

そんなセシリーの腰に、何か小さなものがぶつかってきた。振り返ると、ふらふらしているシャルロッテである。

「ロッテ様、まさか酔ってます？」

「酔ってないわよぉう」

それにしてはだいぶろれつが怪しい。

「大丈夫、ノンアルコールだから。うぇいうぇい」

「酔ってない人はうぇいうぇいなんて言いませんよ、お嬢様」

アルフォンスがシャルロッテの手から、グラスを奪った。

「何よぉ、アルフォンスの下半身のくせに！」

「はいはい、オレはアルフォンスの下半身ですよ」

適当にアルフォンスが宥《なだ》めているのを聞きながら、セシリーはきょろきょろと集会所の中を見回した。

すぐに発見したジークはといえば、年嵩《としかさ》の魔女たちに囲まれて歓談している。

セシリーはむっとした。魔女は顔自慢が多く、美女揃《ぞろ》いなのである。手は出さないようにと口を酸っぱくして注意したものの、どうしたってジークはもてててしまう。

（でも、ジークもジークよね）

彼の人柄は、誰よりもセシリーが理解している。だが、誰に対しても甘すぎるのではないだろうか。

王都で不審者を取り締まるときと同じく、鋭利な刃物のような目で睨みつけてしまえば、迫力に驚いて近づけない女性も多いはずなのに。

（あんなにでれでれしちゃってぇ！）

それなのにジークは、誰に対しても丁寧な物腰で振る舞っている。セシリーはむむと唇を尖《とが》らせた。

もちろんセシリーには、ジークの振る舞いの理由も分かっていた。セシリーがお世話になった里の人たちを、ジークは無下に扱えないのだ。別にでれでれしているわけでもなく、なるべく愛想良く会話するようにがんばっているだけである。

それを承知しているからこそ――やっぱり、周りに文句を言うのはセシリーの仕事だ。

（わたしはジークの、恋人だもの！）

そうする権利があるのだと、今のセシリーなら胸を張れる。

「ちょっと――」

「セシリー、さっきぶりだね」

女性陣を蹴散らそうとするセシリーの前に、ケインが姿を見せた。セシリーは勇んでいた足を慌《あわ》てて止める。

「ケイン。少しは休めたの？」

「うん。スウェルおじさんも良くしてくれて」

ケインが穏やかに笑う。その手にグラスがあった。ピンク色の液体がゆらゆらと揺れている。

（どこでもらった飲み物かしら？）

セシリーが見た限り、そんな色をした飲み物は用意されていなかった。

なぜだか目が吸い寄せられる。だって、とてもおいしそうなのだ。グラスに映し出されるセシリーは、どこかぼんやりとした顔をしている。

興味を惹かれているのが伝わったのか、ケインがグラスを差し出してきた。

「再会の挨拶。僕から君に」

「ありがとう」

セシリーは笑みをこぼす。やはりケインは変わっていない。優しいままだ。

グラスを受け取ったセシリーだったが、そこで近くに立っていた魔女が「あら」と声を上げた。

「え？」

セシリー、グラス、ケイン、グラス、という順番で見やっている。

「……いいえ、なんでもないわ」

彼女はオホホ、と笑って立ち去ってしまう。

訝《いぶか》しむセシリーの前で、近くに立っている何人かが目を見交わす。だが、やはり誰も、何も言おうとしない。

（みんな、どうしたんだろう？）

職業柄だろうか。異様な雰囲気を敏感に感じ取ったのか、ジークと、少し遅れてアルフォンスがこちらを向いた。

ジークの表情が険しくなる。だが、彼の周りにひしめく美女を見るとむかついて、セシリーは勢いでグラスに口をつけていた。

「セシリー、待ってくれ。何かいやな予感が……」

「え？」

ジークに聞き返しながらも、セシリーはグラスを傾けていた。

異様に甘い香りのする液体を、ごくごくと喉奥に流し込んでいく。飲み終えると同時、セシリーの手はグラスを取りこぼしていた。

「おっと」

床に落ちる前に、ケインが空中で拾い上げる。だが、セシリーはそんなことに構っていられなかった。

（の、喉が……熱い！）

両手で押さえる。甘すぎる液体を飲み込んだばかりの喉が、燃えるように熱いのだ。

それに身体中から、どっと汗が噴き出る。視界が大きく歪《ゆが》み、まともに立っていられなくなった。

ふらつくセシリーの両肩を、駆け寄ってきたジークが支えた。

荒く息を吐くセシリーは、苦しげに目を閉じている。

「セシリー？　どうしたっ？」

「…………」

「セシリー！」

無言のまま、セシリーはジークの傍《そば》を離れる。彼のほうを一瞥《いちべつ》もせずに。

そうして茫洋《ぼうよう》とした眼差しをしたセシリーは、唖然《あぜん》とする面々の前で――ぴたり、とケインに寄り添うように、身体をくっつけたのだ。

「ケイン……す・き♡」

勝ち誇ったように、ケインが口角をつり上げる。

「………………嘘《うそ》」

呟《つぶや》いたシャルロッテが、アルフォンスと顔を見合わせる。あまりの事態に、シャルロッテの場酔いは一瞬にして冷めていた。

「て、天変地異だわ」

あるいは、何か大きな災害が起こる前触れかもしれない。シャルロッテが震えたのも当然であろう。ジークに心底惚《ほ》れているセシリーが、彼の目の前で他の男にひっついているのだから。

最も立ち直りが早かったのはジークだった。

鋭くケインを見据えると、その胸ぐらを摑《つか》み上げる。

「お前、セシリーに何をした⁉」

「何って、ただ飲み物を飲ませただけだろ？　まぁ、惚れ薬って呼ばれる飲み物だけど」

「な――」

絶句するジークに、ケインは悪びれなく続ける。

「しばらく休むと嘘をついて、さっきランプス家の工房で作ってみたんだよ。惚れ薬を調合するのは初めてだったけどうまく行ったな。まぁ、僕は天才だから」

ジークを睥睨《へいげい》する瞳には、小馬鹿にするような光が宿っている。

「ケインったら、やるわねぇ。恋人の目の前で略奪愛だなんて」

揶揄《やゆ》するようにグレタが言う。ステーキを切り分けながら。

ジークは息を呑《の》む。つまりグレタは、ケインが持っていた液体の正体に最初から気がついていたのだ。

「どうして止めてくださらなかったんです？」

思わず責めるような口調になるジークだったが、グレタを含む魔女たちはくすくすと笑うだけだ。

「あら、魔女の世界では略奪は常識よ？　むしろセシリーが勘づかなかったのが問題ね」

「鍛え直さないとだめだわね」

そんな感じで呑気《のんき》に話している。会話を聞いていたシャルロッテがぶるりと震えた。

「ま、魔女の世界では当たり前のことなの？」

魔女と人間の思考回路は、やはりどこか違っているのだ。略奪愛が常識だなんて、とシャルロッテは戦《おのの》く。

「……殿下は、そのままでいてくださいね」

動揺のあまりか、アルフォンスはいつもの敬称を使ってしまっている。

宴が別の意味で異様な盛り上がりを見せているところに、のすのすと大きな足音を立ててぽんぽこ狸ことスウェルがやって来た。

「セシリー、パパだよ！　一通り料理が作り終わったから遊びに来たよ！」

「スウェルおじさん」

「おお、ケイン君！　さっきはよく休めたかい？」

ケインはにこやかに微笑みを返す。

「はい。ところでセシリーと結婚したいんですが、いいですか？」

「貴様！」

スウェルが何か答える前に、ジークが動いていた。

無防備なケインの喉元に、ジークが白刃《はくじん》を突きつける。あちこちから悲鳴が上がった。

腰の刀ではない。里に来る前から装備は外して荷物に入れてある。懐に仕舞ってある護身用の短剣だった。

激情に燃える褐色の瞳を、ケインは鼻白んで睨み返している。刃物を向けられても、その顔に動揺は見られない。

「危ないなー、騎士殿。宴の席で抜剣するなんて」

「黙れ。今すぐその口を切り落とすぞ」

「いいのかな、武器も持たない一般人相手に剣を向けたりして」

「ちょっと、ジーク」

ケインの言う通りだ。アルフォンスが諫《いさ》めようとするが、激昂《げっこう》するジークには届いていない。

「それとね、騎士殿。結婚の件は、そもそもセシリーと約束していることなんだよ」

「……なんだと？」

「僕たちは十年前、約束を交わしたんだ。もう一度会えたら結婚しようってね」

「この状況で誰がそんな与太話を信じると？」

「騎士殿が信じようが信じまいが、ただの事実だからね」

絶体絶命だというのに、ケインは嘲笑うような態度を崩さないままだ。

誰もが手に汗握っていると、そこで小さな声が上がった。

か細く、消え入りそうな声だった。

「や、やめてくださいジーク様」

「……セシリー？」

ジークを止めたのは、セシリーだった。

がたがたと細い足を震わせながら、ケインを庇《かば》うように両手を広げる。赤い瞳には恐怖がにじんでいたが、それでも気丈にジークを見上げている。

やがてセシリーは、勇気を振り絞ったように言い放った。

「ケインを傷つけないでください。か、彼は、わたしの大切な人なんです！」

「――――、」

ジークが言葉を失えば、にやりとケインが笑う。

「ありがとうセシリー、僕を庇ってくれたの？」

「ケ、ケインも危ない真似はやめてよ」

「そう言われてもね。騎士殿がこんなに野蛮な男だって知らなかったからさ」

短剣を鞘《さや》に収めたジークは、親しげな二人のやり取りを呆然《ぼうぜん》と見ている。

ふらり、とその身体が傾ぐ。危うく倒れるかと思われたジークだが、次の一歩でなんとか体勢を立て直すと、そのまま集会所を出て行ってしまった。

シンと静まり返っていた集会所だが、次の瞬間には何事もなかったように騒がしくなる。

「ジークくん、かわいそうに。私が慰めてあげたいわ」

「傷ついた男に付け入ろうなんて、とんでもない悪女ねぇ」

同情する声はあるものの、誰もジークを追おうとはしない。ジークの放っていた殺気はそれほどすさまじかったのだ。肝の据わった魔女たちも、今近づけば斬られるかもと感じている。

ちなみに立て続けに二人もの婿候補から挨拶されたスウェルは隅っこで気絶していたが、そんな彼を気にかける者はいなかった。


そして、一部始終を見守っていたシャルロッテは――凜然と言い放っていた。

「これは――名探偵ロッテちゃんの出番だわ！」

「名探偵ロッテちゃんってなんですか？」

最近、シャルロッテは新たなロマンス小説にはまっていた。タイトルは『令嬢探偵、仮面の怪盗に狙われて　～警察も絵画も知らない秘密の夜～』である。作者はもちろんシャルロッテ憧れのシリ・ルーことシリルだ。

はて、と首を傾げるアルフォンスだったが、シャルロッテはお構いなしである。

「あのねアルフォンスの下半身、わたくしは団長の下半身と楽しそうにしているセシリーが好きなの！　だから、この事態を放っておけないわ。略奪愛、だめゼッタイ！」

三角関係は大好物だが、略奪愛は許せないシャルロッテであった。

「それは分かりましたけど。でも、どうします？」

何事もなかったように楽しげに談笑しているセシリーとケインを、アルフォンスはちらりと見やる。

「あのケインって男、セシリーちゃんに惚れ薬を飲ませたようです。でも惚れ薬って解毒薬がないんでしょ？　数日後に切れるのを待ったほうが賢いかも」

惚れ薬の効果は長く続かない。以前グレタもそう口にしていた。

魔女たちが落ち着いているのも、おそらくそれが理由のひとつなのだ。略奪は一時的なものに過ぎないと理解している。

それに、とアルフォンスは付け加える。

「二人は結婚の約束をしてるって……まぁケインって男が言い張ってるだけですけど。それが事実だとしたら、オレたちが口出しできる問題じゃないですよ」

「いいえ、わたくしはそうは思わないわ」

名探偵を名乗るシャルロッテには、何やら強い確信があるようだ。

「ケインとやらの下半身、約束の件について口にしていたとき、ちょっと様子がおかしかったと思うの。その線から探ってみるわ。ほら、ついてきて下半身！」

「……えっ、オレも付き合うんですか？」

「当たり前でしょう、わたくしの護衛騎士なんだから！」

ふんふん、と鼻息荒いシャルロッテ。空元気なのかもしれないが、こんなときもまず友人のために動こうとする王女はなかなかに頼もしい。

「どこに行くんですか？」

きりっとした顔つきでシャルロッテが答える。

「まずは探偵衣装一式を揃《そろ》えるわ！　虫眼鏡もマストアイテムよ！」

シャルロッテは形から入るタイプであった。

閑話　名探偵ロッテちゃん1

A witch in love has drugged
an elite knight with a
love potion.

魔女の里に滞在して、三日目の朝。

今日もマジョリカの家で厄介になっているシャルロッテは、いつもの可憐《かれん》なドレス姿ではなく、いわゆる探偵っぽい衣装を身にまとっていた。

頭にはリボンのついたベレー帽。長い髪の毛は二つに分け、三つ編みにしてある。

そして、小さな手には大きな虫眼鏡。完璧すぎる装備だ。

無論、装着に当たってはマリアが活躍している。どんな服だろうとひとりでは着られないシャルロッテ王女——否、名探偵ロッテちゃんなのである。

華麗な変身を終えたロッテちゃんは、ベレー帽の角度をくいくい直しながら助手に訊《き》いた。

「アルフォンスの下半身。団長の下半身は？」

「うーんと、まだ起きてこないですね。朝食は部屋の前に置いておきましたけど」

苦笑いを返すアルフォンス。

「まったく、手のかかる下半身なんだから」

文句を垂れるロッテちゃんだが、別に呆《あき》れているわけではない。

いつも冷静で堅実な騎士団長として役目を果たしているジークだから、昨夜の姿は衝撃的だった。あんな風に苛立って、傷ついて立ち去ったジークを見た以上は、放っておくことはできない。

今も部屋で落ち込んで、ベッドから起き上がる気力もないのだろう。それならわたくしが手助けしてあげないと、と奮起しているロッテちゃんだった。

そこでアルフォンスが部屋を見回す。

「あれ？　そういえばマリアさんは？」

「マリアはマジョリカさんについていったわ。薬草の勉強をしたいんですって」

魔女の調合した薬は特別だ。毛生え薬や惚《ほ》れ薬などだけではなく、風邪や頭痛、胃痛に効く薬も彼女たちは作っている。

薬草の配合が特殊なため、副作用が少ないと評判だという。マリアはせっかくの学びの機会だからと、ロッテちゃんを着替えさせるとさっさと出かけていってしまった。

勉強熱心な侍女も困りものだわ、と溜《た》め息を吐《つ》くロッテちゃんだが、マリアはよく体調を崩す主のために勉強しに行ったのだ――ということは、もちろん把握している。

マリアは忙しいので、助手に選んだのは暇人《ひまじん》のアルフォンスだ。

「というわけでさっそく、セシリーのところに行くわよ！」

「了解でーす」

「はいは一回よ！」

「はいはーい」

欠伸《あくび》を堪《こら》えるアルフォンスを背後に従え、ロッテちゃんはマジョリカの家を飛び出していく。

「発見したわ！　あそこよ！」

さすがの洞察力というべきか、三秒でロッテちゃんは目標を発見した。セシリーとケインは何やら仲睦まじそうに話しながら前の通りを散歩していたのだ。

「セシリー！」

大声を上げればすぐにセシリーは振り向いた。その視線は、見慣れない格好のロッテちゃんに釘《くぎ》付けである。

セシリーは、ロッテちゃんの格好を上から下までまじまじと見ると、感嘆の吐息をこぼした。

「ロッテ様、すっごくかわいいですね！」

「そう？　って、大事なのはそこじゃないのよ！」

褒められて満更でもないロッテちゃんだが、このままのほほんといつものノリで会話しているわけにはいかない。

「わたくしはロッテ様じゃなくてロッテちゃんなのよ！」

大事なのはそこだった。

「あ、すみません。ロッテちゃん」

「いいわ、許すわ」

あっさりと許したロッテちゃんはセシリーを盾にしつつ、ケインをぎろりと睨《にら》んだ。

「そこのあなた。ケインの下半身、だったかしら」

「下半身ってなんですか？」

ケインは眉を寄せている。どこか儚《はかな》げな佇《たたず》まいには人の目を引き寄せる魅力があり、絵になるほどの美青年だが、それすら超越する彫刻レベルの美少女であるロッテちゃんが彼に見惚《みと》れることはない。

「細かいことはいいのよ。ケインの下半身、あなた、今日のデートでセシリーに不埒《ふらち》な真似をするつもりじゃないでしょうね？」

「デ、デート……」

頬を赤くしてもじもじするセシリーに、ロッテちゃんはもどかしい気持ちになった。

そんなセシリーを一瞥《いちべつ》してから、ケインがにっこりと微笑む。

「そりゃあ僕たちは恋人同士だから、人には言えないようなことをしますけど」

「なななんですってぇ！」

ロッテちゃんは素っ頓狂な悲鳴を上げた。

再会して二日目に破廉恥な真似をするなんて、とんでもない男だ。しかもセシリーは惚れ薬を飲んでいるというのに！

「そ、そんなのゼッタイだめっ。わたくしが許さないわ。わたくしもあなたたちについていって、変なことしないか見張らせてもらうんだから！」

「よく分かりませんけど、やめてください。それってすごく野暮ですよ」

ケインの指摘に、うっ、とロッテちゃんは言葉に詰まる。

野暮なのは言われずとも分かっている。だが惚れ薬を飲ませられたセシリーは正常な判断ができず、ケインに導かれるまま道を誤ってしまうかもしれないではないか。

いざ惚れ薬の効果から解放されたとき、ジークを裏切ってしまったと後悔して苦しむセシリーなんて見たくはない。

「セシリーはどう思う？」

ケインがそれまで黙っていたセシリーに話を振る。

ロッテちゃんは期待するようにセシリーを上目遣いで見た。だがセシリーは、困ったような顔をすると……。

「ロッテちゃん、ごめんなさい。わたしも、久々にケインに会えたので二人でいろいろ話したいというか……」

ガンッ、と後頭部を殴られたような衝撃がロッテちゃんを襲う。

「そ、そうよね。わたくし、お邪魔虫だったわ」

ロッテちゃんは何事もなかったように、その場を離れる。

虫眼鏡を手に、ずんずんずんずんと突き進んでいくが……その足は、何もないところでぴたりと止まった。

そのまま動かなくなるロッテちゃんに、アルフォンスは声をかける。

「ロッテちゃん、落ち込んでます？」

「……落ち込んでないわよ」

そう言いながら、地面に膝を抱えて座り込んでしまうロッテちゃん。

後ろに控えていたアルフォンスが溜め息を吐くと、その小さな肩がびくりと震える。

「慰めてあげたいですけど、ロッテちゃんは男に触られたくありませんもんね」

しばらく、返事はなかった。

「……今日はちょっとだけなら、許すわ」

男性恐怖症と邪険にされたショックの間で戦っていたロッテちゃんは、そんな結論を出したらしい。

さり気なさを装って、ベレー帽を脱いでいる。露わになった髪の毛は、汗ばんで少しくしゃっとなっていた。

「でも、本当にちょっとだけよ。小指の先だけ。それなら、許すわ」

「分かりました」

後ろからでは驚くだろうし、近すぎると喚《わめ》くだろうし、といろいろと手を拱《こまぬ》いたアルフォンスはしゃがみ込むと、限界まで指を伸ばした。

そうしてぷるぷるしている小指の先で、ロッテちゃんの頭を撫《な》でてやる。

ピンクブロンドの柔らかそうな頭のつむじあたりを、ちょんちょんと撫で続ける。触れられているかもよく分からない感触に、ロッテちゃんはなんともいえない顔をしている。

「えっと……もうちょっとちゃんと撫でても、いいけれど」

「震えてますよ」

「震えてないわよ！」

気丈に言い張るロッテちゃんに、アルフォンスは口元だけで微笑む。

「少し、元気出てきましたね」

ロッテちゃんは林檎《りんご》のように赤くなった。

赤面症なのは自覚しているので、せっせと集めた髪の毛で口元を覆い隠す。そうすると照れてい

るのがバレバレなのだが、そんな単純なことには気がついていない。

「……うるさいわね。あと、ロッテちゃんはやめて」

「え〜？　みんなに呼んでほしいのかと思ってた」

「アルフォンスの下半身にそう呼ばれると、なんかぞわぞわするのっ」

「傷つくなぁ、それ」

あはは、と声を上げて、隣――というには遠くに座ったアルフォンスが笑う。つられてロッテちゃんも、少しだけ微笑んだ。

「それで、これからどうしましょうか」

「そうね」

ロッテちゃんは立ち上がる。

弱音を吐く時間はこれで終わりだ。名探偵には、立ち止まっている暇はない。

「セシリーの件はどうしようもないわ。糸口が見つかるまでは別の謎を探しましょう。暇だし」

諦めるの早……とアルフォンスは思ったが、口には出さない。せっかく少しだけ前向きになったロッテちゃんに、水を差す気にはなれなかった。

そうして突き進むロッテちゃんのところには、今日も相談者がやって来る。

「あたしのナナが、いなくなっちゃったの！　ロッテちゃん、捜してくれない？」

年端もいかぬ少女と少年から、さっそく依頼が舞い込んできた。

二人とも、昨日ロッテちゃんと一緒に遊んだ仲だ。ふむ？　とロッテちゃんは顎に手を当てた。

「ナナって誰かしら？」

「こいつの家で飼ってる猫だよ」

隣に立つ少年がぶっきらぼうに教えてくれる。

少女の家で飼われている猫が、昨日の夜から戻ってこないらしい。何時間か姿を消すことはあるが、日をまたいだことはないから心配だと少女は顔を曇らせている。

話を聞いたロッテちゃんは、颯爽《さっそう》と言い放った。

「分かったわ、この件は名探偵ロッテちゃんに任せなさい！」

「本当？　ありがとうロッテちゃん！」

猫探しといえば、探偵の仕事である。初歩的な仕事ではあるが、暇つぶしにはちょうどいい。それに猫が見つかれば少女も喜ぶ。猫もきっと嬉《うれ》しい。まさにウィンウィンである。

「ちなみにナナはメス？　オス？」

「オスだよ」

ロッテちゃんは持ち歩いている羊皮紙を取り出した。これも探偵のマストアイテムだ。

「じゃあ、ナナの下半身の特徴をここに書いてくれるかしら。できたら絵も描いてちょうだい」

「うん、分かった。……えっと、下半身だけでいいの？」

「ちゃんと上半身も描いてね」

アルフォンスが横からフォローする。語彙に偏りがある名探偵に助手は必須だ。

「本当に見つけられんのかよ」

その様子が頼りないからか、少年が呟《つぶや》く。

「うるさいわね、少年の下半身。名探偵ロッテちゃんに不可能はないんだから！」

「あっ、はい」

美少女に下半身呼ばわりされた少年はびっくりしていた。

少年少女は里の西側を捜すというので、ロッテちゃんとアルフォンスは東側を受け持つことになった。そう大きな里ではないので、一時間も探し回れば合流してしまいそうだ。

羊皮紙を受け取ったロッテちゃんは、ナナの特徴を順々に覚えていく。目が大きくてくりくりしている、ニャアと鳴く、好物は真っ赤なトマト……いまいち微妙なヒントの羅列……。

そのとき、がさっと音が鳴った。木の枝から勢いよく何かが飛び降りてくる。

びくりっ、とロッテちゃんの華奢《きゃしゃ》な身体が震えた。

「ひゃっ、ロロの下半身！」

急に現れると驚いてしまう。アルフォンスの後ろに隠れようとして、アルフォンスも男だと思い出したロッテちゃんは、知らない家の塀に隠れた。

「お嬢様、オス猫もだめなんですか？」

「だ、だめってわけじゃないけれど……得意ではないわね」

つまり、苦手であった。

「でも、い、いいわ。同じ猫だから、仲間を見つける嗅覚《きゅうかく》に優れているかもしれないものね。あなたの同行を許可します。一緒にナナの下半身を捜してもらうわよ」

おっかなびっくりロッテちゃんは歩き出した。ロロは無言でついてくる。

「ナナのかはんしーん。ナナのかはんしーん」

鈴を転がすような可憐な声で、ロッテちゃんはナナの名前を呼ぶ。「下半身」部分のほうが長いので、実際にナナが聞いたとして出てくることはなさそうだし、周囲からは何事かという顔で見られている……。

それでもロッテちゃんは目の前の依頼に一生懸命だ。必ず少女のところにナナを送り届けようという気概に満ちている。

そんな横顔を眺めながら、アルフォンスはひっそりと問うた。

「どうですか、初めてのご旅行は」

「何よ、藪《やぶ》から棒に」

ロッテちゃんはジト目をしていたが、素直に答える。

「ちょっと変わった人もいるけれど……ここに住んでいる人たちは、みんな素敵だと思う」

「そうですね」

「他の町や村に住む人と変わらない。王族が守るべき国民だわ。だから、魔女の里には来られて良かったと思ってるの。セシリーは大変なことになっちゃったけれど……それだって、このまま放っておくつもりはないもの」

ロッテちゃん――否、シャルロッテは凛《りん》として前を向いている。

普段は怖がりな王女だが、こんなときのシャルロッテはまっすぐだ。

「セシリーちゃんと会ってから、お嬢様は毎日楽しそうですね」

「そ、そうっ？　まぁ、セシリーは唯一無二の親友だものっ」

実際に、セシリーとの出会いはシャルロッテに多くのものを与えてくれた。セシリーがいなければ、聖空騎士団と距離が近づくこともなかっただろう。それに、こうして宮殿を離れて旅行することだってなかったはずだ。

「……本当は、オレがいちばんお嬢様を笑顔にしたかったけど」

小さな呟きが耳を掠《かす》めて、ロッテちゃんは立ち止まる。

「アルフォンスの下半身って、そういうの誰にでも言ってるの？」

鼻をひくひくさせるロッテちゃんのことを、アルフォンスは黙って見下ろしている。

「やめたほうがいいわよ。ロマンス小説に出てくる砂糖菓子みたいな台詞だもの。そんなこと言いまくっていたら、いつか刺されるわよ。背後からぶす！　ぶすぶすーっと」

二刺しされているらしい。

アルフォンスはなんともいえない笑みを浮かべて、肩を竦《すく》めた。

「大丈夫ですよ。ひとりにしか言ってないですから」

「そうなの？　ならいいわ」

ひとりに言っているのであれば、まったく問題ない。ロッテちゃんは納得して、再び歩き出した。

「ナナのかはんしーん。かはんしーん。かはんしーん」

木の上を見たり、ごみ箱を開けたり、路地を覗《のぞ》いてみるけれど、なかなかナナは見つからない。

少しずつ日も昇ってきていて、体力のないロッテちゃんには早くも疲労の色が見え始めた。

後ろを歩いていたロロは、里の中を流れる小川の水をちろちろと飲んでいる。その様子を眺めていたアルフォンスは、あれ？　と首を傾げた。

「何してるの。行くわよ、アルフォンスの下半身」

そう、探偵のお尻について回るのが助手の仕事ではない。ときどきヒントになるような言動をして、探偵の頭に豆電球を灯すのが助手の大事な役割だ。

「……ねぇ、お嬢様」

「何よ、改まって」

「この猫が、ナナちゃんだったりしません？」

唐突な言葉に、長い睫毛《まつげ》をぱちぱちさせるロッテちゃん。

「何言ってるのよ。この猫はロロの下半身でしょ？」

「でも、ロロって呼んでも返事しませんよ」

「ナナの下半身って呼んでも返事しないじゃない」

それはそうだが、むしろ呼んで返事をする猫のほうが珍しい気がする。猫というのは気まぐれな生き物なのだ。

「それに、ナナの下半身は白猫でしょ？」

ほら、と少女が描いたイラストを広げてみるロッテちゃん。イラストの猫は黒いペンで描かれていて、真っ白な身体をしている。

「でも黒く塗りつぶしたら、イラストがよく見えなくなっちゃうじゃないですか」

イラストの猫の目は、大きくてくりくりしている。黒く塗りつぶしたら、この特徴がよく見えなくなってしまう。だから少女は身体の色を塗らなかったのではないか、とアルフォンスは述べる。

一考の余地があると思ったのか、ロッテちゃんは大人しく話を聞いている。

「そういえば魔女は、黒と赤色が好きだって……」

「セシリーちゃんがそう言ってましたね」

多くの魔女の特徴だと、セシリーは口にしていた。

その色が好きならば、彼女たちは同じ色の猫を好んで飼うのかもしれない。

「でも、赤毛の猫は珍しいわ。つまりこの里では、主に黒猫が飼われている？」

「その可能性はありますね」

現に、グレタの飼い猫だというロロは黒猫だ。

シャルロッテはふむふむと頷《うなず》くと、落ちている枝で爪とぎしている黒猫を見下ろした。

「ロロの下半身！　――いいえ、ナナの下半身！」

その口調は、まさに犯人を言い当てるそれである。

「さてはあなたの正体は、ナナの下半身なのね？　さぁ、答えなさい！」

「猫は答えませんよ、お嬢様」

『いや、我が輩はロロだが』

——果たして、答えはあった。

「ニャア」とか「ミャア」とかではなく、完全に人の言葉だった。

それも「ニャア」という鳴き声と同時に、脳に直接話しかけてくる音声が流れているような。

「……今、喋《しゃべ》った？」

「喋り……ましたね？」

ロッテちゃんとアルフォンスは、ぎこちなく目を見交わす。

二人ともに聞こえているということは、聞き間違いではないということだ。

ロッテちゃんは口を半開きにして固まっている。アルフォンスは勇気を出して、質問を重ねた。

「え、えっと……君はロロ、でいいのかな？」

『そうだが？』

やたらと態度がデカいが、ロロで間違いないようだ。

猫が目の前でふてぶてしく喋っている。その動揺からまだ立ち直れないアルフォンスだったが、名探偵が硬直しているので、今はとにかく口を動かすしかない。

「じゃ、じゃあ結局ナナはどこにいるんですかね」

ロッテちゃんに向けたつもりだった疑問にも、思いがけず答えがある。

『我が輩の影の中だが？』

「え？」

影の中とは?

同じ方向に首を傾げる人間たちの目の前で、地面に伸びていたロロの影が揺らめいた。

ゆら、ゆら、と風に揺れる大樹の葉のように蠢《うごめ》いたかと思えば、影の中から一匹の白猫が飛び出してくる。

目が大きくて、くりくりしている。本当にくりくりしていてかわいらしいので、一目見てアルフォンスはこれがナナだろうと思ったのだが。

『ふぃ〜、いい湯だった。ロロ兄さん、あざーす』

事も無げに白猫は舎弟っぽい口調で喋り出した。

……そう、黒猫のみならず白猫も喋ったのだ。

『ナナ、飼い主の幼女が捜していたぞ。早く帰ってやれ』

『まじですかい。ふぅやれやれ、手のかかるちびっ子だ。それじゃそろそろ帰宅するかなっと』

白猫——ナナは、さっさと道を駆け抜けていく。

通りの向こうから、甲高い泣き声が聞こえてきた。きっと涙目の少女が、ナナを発見して抱きしめているのだろう。

その大きな声に顔をしかめていたロロが、小さな舌を出す。

『これでいいか?』

「……あ、大丈夫です。どうもありがとうございました」

アルフォンスが慇懃《いんぎん》に頭を下げると、『気にするな』とロロが返し、そうしてぴょんと屋根の上に飛び乗ってしまう。

その小さな背中を、ロッテちゃんは虫眼鏡をかざしながら黙って見送った。

「アルフォンス。魔女の里って、なんでもありなのね」

「……そうですね」

しばらく二人は言葉もなく黄昏《たそが》れたという。

第四話 奪われた心

A witch in love has drugged
an elite knight with a
love potion.

探偵の格好をしたシャルロッテとアルフォンスの姿が遠ざかっていくと、ケインは気を取り直すようにセシリーに笑いかけた。

「じゃあ、行こうか」

「……うん」

どうにか笑みを返すものの、セシリーの心は晴れなかった。

（シャルロッテ様には、悪いことをしたわ）

せっかく一緒に里まで遊びに来てくれたのに、恋人と過ごす時間を優先して追い払うような真似をしてしまった。あとでしっかりと謝っておかなくては。

「ケイン、どこから回るの？」

「そうだなぁ。礼拝堂とか、食堂とか、薬草畑とか……でも最後は、思い出の花畑に行こう。僕と君がよく遊んだ場所だから」

「うん、そうね。この里には、他に遊べる場所がほとんどないし」

セシリーは苦笑する。危ないので、子どもだけでは里の外に出てはいけないという決まりがある。子どもたちはもっぱら、小さな里の中で知恵と工夫を凝らして遊ぶのだ。

（わたしはときどき、里の外にも探検しに行ったけど）

ケインは内気で怖がりな子だったので、一度も誘ったことはなかったはずだ。今それを明かしても彼の機嫌を損ねてしまうだろうから、黙っておくことにする。

「花畑にある大樹に、ロープで括りつけたブランコがあったよね。まだ乗れるのかな」

「ああ。あのブランコは数年前になくなったのよ」

座板が古くなったので、子どもが怪我をする前に取り外したのだ。以来、新しいブランコはかかっていない。

「そうか。……残念だな」

心底惜しむようにケインが言う。

並んで歩きながら、セシリーは気になっていた話題を出した。

「そういえばケインが修行に行っていた里って、どんなところだったの？」

「ここからずっと東のほうにあって……ここのように山の中じゃなくて、森を切り開いて作られた大きな里だったよ」

「へぇ。森だなんて、わたしが住んでたところと同じね」

「え？　セシリー、森の中に住んでたの？」

そうなの、とセシリーは頷《うなず》く。

「十五歳になって里を追い出されたあと、王都近くの森に行き着いて……いろいろあって、そこでロッテ様たちと知り合ったのよ」

「そういえば、ロッテって子は貴族だよね？」

あの美貌とオーラで平民と言い張るのは無茶である。

「うん、そうなの」

そこは隠していないので、セシリーは素直に肯定した。王族だということは口にできないが。

「ロッテ様、すごくかわいらしい方でしょう？　護衛を務めているアルフォンス様も、普段はふざけてるけど優秀なのよ。それに侍女のマリアさんはいつも優しくて、お仕事も完璧な人で」

「ふぅん」

もっと話を聞いてほしかったが、ケインは気のない返事をする。

あまり、セシリーの話には興味がないのだろうか。話そうとしたことも喉奥に引っ込んでしまう。

（……あれ？）

「セシリー？　どうしたの？」

立ち止まるセシリーを、ケインが不思議そうに振り返る。

「早く行こうよ。あ、それともお腹が空いた？」

「ねぇケイン。何かおかしくない？」

「おかしいって、何が？」

「わたし、どうして魔女の里に帰ってきたの？」

ケインの肩が小さく揺れる。

セシリーは、ケインを見ていなかった。里の景色を見ている。見慣れた家、看板、さらさらと流れる小川、季節の花が咲く花壇、遊ぶ子どもたち……。

その中に何かを捜すような視線。それを断ち切るように、ケインはセシリーの肩を揺さぶった。

「それはもちろん、僕に会うためだろう。僕との約束を果たすために」

十年ぶりに戻ってくるケインに会うため？

ケインと結婚するため？

「……違うわ、そうじゃない」

セシリーは、首を横に振る。

「だって、誰もわたしに教えてくれなかったから……ここに帰ってくるまで、ケインが同じタイミングで帰ってくるなんて、わたし知らなかったのよ。そのはずよね？」

考え込むセシリーを見つめたまま、ケインは黙り込む。

「それにわたし、まだ十六歳よ。本当は十七歳になるまで、世界を巡る旅をしなくちゃならなくて……それなのにどうして一年も早く帰ってきたのかしら」

何か、そうしなければならない重大な理由があったはず。

セシリーは思い返そうとする。ここに来る前のこと。グレタに何かを相談した。シャルロッテが自分もついていくと言った。迷惑にならないかしら、と心配しながら——。

「もういいってば。行こうよ、セシリー」

ケインの両手がセシリーの肩に食い込む。

セシリーが顔をしかめると、ケインが慌《あわ》てて手を離した。

「ご、ごめん。でもセシリーこそおかしいよ。せっかく僕と一緒なのに、そんなこと言うなんて」

悲しげなケインの顔を見ると心が痛む。セシリーは肩を押さえながら「ごめんなさい」と謝った。

「ケイン。でもわたし、何か大事なことを忘れてるのかも」

「……忘れてないよ」

苛立たしげにケインが舌打ちして、セシリーの手を引く。その力の強さに、セシリーの心臓が跳ね上がる。

目の前の人のことを怖い、と思う。

（怖い？　……どうして？）

ケインは初めての恋人だ。結婚の約束を交わした、最愛の恋人。

怖いどころかセシリーにとって、最も安心できる相手のはずではないか。

「いいや。もう家に……セシリーの家に戻ろう」

どこか、疲れたようにケインが言う。

「ケイン、怒ってるの？」

「怒ってないけど。ただ、セシリーの体調が悪いから」

それは、優しさなのだろうか。当てつけだろうか。分からないまま、セシリーはケインに連れられて家へと戻る。

グレタは出かけてしまったが、今日もスウェルは家にいると言っていた。昨日気絶してしまってから、ちょっと具合が悪いようだ。

（パパに訊《き》いてみようかな）

里に帰る前、グレタには何か相談したような気がする。それに、スウェルに大事なことを話そうとしていたような。

（自分のことなのに、最近のことなのに、どうして記憶が曖昧《あいまい》なの？）

考えれば考えるほど、もどかしくなる。

小さな溜《た》め息を吐《つ》いたセシリーは、急に立ち止まったケインの背中にぶつかる。鼻を打ってしまった。

「いたっ。……ケイン？」

どうしたのかと覗《のぞ》き込めば、セシリーの家の前にジークが立っていた。

項垂《うなだ》れるようにして地面ばかり見ていたから、気がつかなかったのだ。驚いて目を見開くセシリーをジークは一瞬だけ見たが、すぐにケインに視線を移した。

「騎士殿じゃん。人の家の前で、何してるの？　ストーカーみたいだね」

ケインが嘲《あざけ》るように唇を歪《ゆが》める。ジークは動じずに答えた。

「お前の帰りを待っていただけだ」

ふぅん、と小首を傾げてケインはジークを見上げた。

「昨夜は寝てないのかな。疲れているように見えるけど」

「お前に心配される筋合いはない」

ケインの指摘は当たっていたが、いちいち説明する義理はないのでジークはそれで流した。

今朝、アルフォンスはジークの様子を問うてきたシャルロッテに嘘《うそ》を吐いていた。ジークは昨夜から、部屋に戻っていなかったのだ。

集会所を出て行ったジークは、里の外れで一晩中、剣を振り続けていた。

それは訓練などとはほど遠い、自分の肉体を酷使するための時間だった。そうでもしなければ、ジークは冷静な精神を取り戻せなかった。

「ケイン。お前は天才だそうだな」

「気持ち悪いなぁ。急に僕を褒め称える気にでもなった?」

いや、とジークは首を振る。

「惚《ほ》れ薬の解毒剤はないと聞いている。だが……お前なら作れるのではないか?」

「……そういうことか、健気《けなげ》だねぇ騎士殿。それでのこのこ、ここに来たってわけだ」

「望むなら、土下座でもなんでもしてやるが」

あくまで不遜な態度を貫くジーク。

ケインはおもむろに、後ろに立つセシリーを振り返る。

見つめ合う二人の手は繋《つな》ぎ合ったままだ。ジークが強く唇を噛《か》む。

「土下座は見るだけ見てもいいけど、残念。惚れ薬は解けないんだ」

「……何?」

唖然《あぜん》とするジークに対し、邪気たっぷりにケインが笑う。

「里のみんなの話、聞いてなかった? 僕は魔力が強すぎてね、十年間も力を制御する術を学んできた。だけどセシリーに飲ませた惚れ薬には、全開の魔力を注ぎ込んでいる。数日や数か月で解けるようなものじゃないんだよ」

ぺらぺらと説明するケインに対し、ジークが眉間に深い皺《しわ》を寄せる。

「ふざけるな。それは……」

そうして二人がやり取りする様を――セシリーは見つめ続けていた。

(どうしてだろう)

片手で、耳の調子を確かめる。耳はちゃんと聞こえている。

(言葉が、うまく聞こえない)

しかし向かい合う二人が何か言うたびに、放たれた言葉はぼんやりとした輪郭をまとってしまう。理解する前に、どこか手の届かないところに過ぎ去っていくように。

それが、怖い。おそろしい。漠然とそう感じるのに、声が出ない。

ただ黙って立ち尽くすだけだ。会話から置き去りにされたまま。

「それに解けたら、また惚れ薬を飲ませればいいんだ。そうすれば一生、セシリーは僕のことが好きになるってわけだ」

「……貴様、正気なのか」

「正気だよ。僕はセシリーのことが好きだから」

今のは、聞こえた。ケインはセシリーのことが好きだと言ったのだ。

反射的にセシリーの頰は赤くなる。それが自然なことだ。好きな人に好きと言われれば、誰だって嬉《うれ》しくなる。そのはずだ。

それなのに――顔を上げると、ジークの姿が目に入る。

何かに裏切られたように顔を歪めていたジークは、セシリーと目が合うとまた、すぐに顔を背けてしまった。

その理由が、セシリーには分からない。

(どうして、私を見て辛そうにするの?)

呆れるなら分かる。人前でこんな風に甘い言葉を言うなんて、羞恥心《しゅうち》はないのかと。

しかしジークは辛そうだった。昨夜もそうだ。宴の席から立ち去る彼は、苦しそうだった。セシリーにはそれが、まるで泣き出す直前のように見えたのだ。

追いかけることはできなかった。彼にそんな顔をさせたのはセシリーなのだ。

セシリーがケインを庇《かば》ったから、ジークを苦しめた。

でも、それは、なぜなのだろう。

「なんなんだろうね、あの男。昨日からずっと絡んでくる。ただの人間は、さっさとこの里から出て行けばいいのに」

うんざりとした調子でケインが吐き捨てる。

物思いに耽《ふけ》っていたセシリーは、ようやく気がついた。ジークがいなくなっている。ケインとの口論を終えて、どこかに消えてしまった。

「……セシリー」

ケインがおもむろに、セシリーの手を引き寄せる。

細い指先が、セシリーの顎を捉えた。そのぎこちない動きが、夢心地だったセシリーを現実へと引き戻す。

セシリーは目を瞠《みは》った。ケインがやろうとしていること、それは――。

「いや！」

反射的に、セシリーはケインの肩を突き飛ばしていた。

大した力ではなかった。だがケインはふらつき、肩が小さな門扉《もんぴ》に当たる。

その目に悲しみの色が広がっていくのを見たとたん、セシリーは胸の真ん中に痛みを覚えた。

突然のことで驚いたからと、ひどいことをしてしまった。すぐに謝らなければならない。

「ごっ、ごめんなさいケイン。あの……」

しかし、言い訳らしい言葉がまるで思いつかない。

セシリーが口をぱくぱくと開閉している間に、ケインが小さく笑う。

「……ううん、いいんだ。気分が乗らない日もあるだろうしね」

そう言いつつも気分を害してしまったのか、ケインは踵《きびす》を返した。

「ケイン、どこ行くの？」

「ちょっと用事があったのを思い出してね。夕方には戻るよ」

硬質な声で放たれたのは下手な嘘だった。今日は一日セシリーと里を回って散歩がしたいと、そう言い出したのはケインだったのに。

その場に取り残されたセシリーは、しばらくその場から動けずにいたが、やがてふらふらと家の中に入った。

階段を上がって、自室に入る。セシリーは頼りない足取りのまま、壁際のベッドに座り込んだ。

自問自答する。

「……なんでだろう」

恋人同士なのだから、ハグやキスをするのは当たり前だ。

恋人であるケインを理由なく拒むなんて、ひどい行為だ。追いかけて謝るべきだろうし、そうすればケインも明るく微笑んでくれるに違いない。そうして何事もなかったように仲直りのキスを交わせばいいのだ。

そう思うのに、なぜか足が動かなかった。

「……わたし……」

セシリーはぶるりと身体を震わせる。

何か、重要なことが頭から抜け落ちてはいないだろうか。そんなおそろしい予感がある。

でも、それがなんなのか分からない。考えようとすると頭が痛くなり、セシリーは呻《うめ》き声を上げた。

何も考えたくない。何も考えてはいけない。

そんな風に思う理由すら、まるきり分からない。

自分はいったい、昨夜から何に苦しんでいるのだろう？

「……っ」

そのとき、聞こえてきた物音にセシリーは身を竦《すく》めた。

コンコン、と軽くドアがノックされている。ケインが戻ってきたのだろうか。

（それとも、ジーク様？）

そう思ったとたん、なぜかセシリーはドアに駆け寄っていた。

「セシリー？」

「あ……、パパ」

気の抜けた呟《つぶや》きを漏らすセシリー。

部屋の前に立っていたのはケインでもジークでもなく、父のスウェルだった。

「帰ってきたんだね。ケインくんは？」

答えないでいると、スウェルが問いを変える。

「入ってもいいかい？」

断る理由はない。セシリーが許可すると、スウェルはおずおずと入室した。

巨体の父に、セシリーは椅子を勧める。スウェルは体調を崩しているのだ。

スウェルが座ると、椅子はばきりと軋《きし》んだ音を立てた。言いにくそうにしながら、スウェルが口を開く。

「あ、あのね。セシリーはケインくんと結婚……したいんだよね？」

「…………」

問いかけに、セシリーは答えられない。

(好きな人とは、結婚したくなるものだと思ってた)

おとぎ話に出てくるお姫様は、最後に王子様と盛大な結婚式を開く。人々はそんな二人を手を叩《たた》いて祝福する。こうして物語がハッピーエンドを迎えるのがお決まりのパターンだ。

セシリーもずっと、そんな美しいお話に憧れてきた。だから、結婚にもそれなりの願望を抱いているほうだと思う。

しかしなぜかそのとき、すぐに返事が出てこなかった。

「パパ、パパはね、セシリーには世界でいちばん幸せになってほしいんだ。だからその、もしもセシリーが、本気だっていうなら……」

その言葉をセシリーは途中で遮る。

「ねぇパパ。この一年間、わたしって何してたんだっけ？」

スウェルは不快そうな顔をすることもなく、のんびりとした笑みを浮かべている。

「それなら、一昨日とても楽しそうに話してくれたじゃないか」

「聞かせてくれない？」

「え？」

「もう一度、パパの口から聞きたいの。……だめかしら？」

娘が甘えていると思ったのだろうか。スウェルは快諾した。

「分かったよ、セシリー」


それから、スウェルは語ってくれた。

セシリーの過去を辿《たど》る、スウェルの穏やかな声。それに耳を澄ませていると、セシリーは次第に落ち着いていった。

どこかもどかしいような不快感も、わずかに拭われていく。

それでも、何かが物足りない。

(そうだ、わたし)

二日前、スウェルが腕によりをかけて作ってくれたハンバーグを切り分けながら。

一年間の出来事をスウェルに話したとき、セシリーはひとつだけ感じたことがあった。

(寂しい、って……そう思ったの、わたしは)

その感情だけが鮮烈に、胸に焼きついている。

どうして寂しいと思ったのかは、分からない。思い出そうとすると頭痛がした。思い出してはならないのだと、誰かに言いつけられているかのように。

「……それで、セシリーは仲良しのロッテさんやアルフォンスくんたちと一緒に、魔女の里に帰ってきてくれたというわけなんだ。パパ、一年ぶりにセシリーに会えて本当に嬉しいよ」

にこにこと頬を緩めるスウェルを見ていると、少し罪悪感を覚える。しかしセシリーは躊躇《ためら》いを振り切るように立ち上がった。

「パパ、ごめんなさい。ちょっと出てくるね」

スウェルが目を丸くする。窓の外はオレンジ色に染まっている。

「今からかい? もう夕方だよ」

「マジョリカおばあちゃんの家に行ってくるだけだから。ロッテ様と話したいことがあるの」

なんとなく、ジークの名前を出してはいけないような気がして、セシリーはそう取り繕った。

「そうか……でも、すぐに戻ってくるんだよね?」

「うん。だってパパの手料理、食べたいもの」

セシリーは笑顔を返し、部屋を出て行く。

マジョリカの家には、昼だろうと夜だろうと鍵はかかっていない。

魔女の里で泥棒が出ることはないからだ。親と喧嘩《けんか》して駆け込んでくる子どもや、あるいは子どもに怒鳴られて駆け込んでくる大人がいるので、マジョリカの家にはいつでも、誰に対しても門戸を開いている。

いくつもの部屋がある洋館は、たくさんの住人を受け入れてくれる。幼いセシリーも、よくここに逃げ込んだものだった。

「マジョリカおばあちゃん、お邪魔します」

返事はなかったが、セシリーは表門から中に入る。

今はみんな出かけているのだろうか。一階のどこかの部屋から物音がしたような気がするが、用事があるのは二階だ。

(客人が泊まる部屋は、二階だって決まってるから)

セシリーは階段に足先を向けた。

だが手すりを摑《つか》んだところで、重要なことを思い出す。

(わたし、ジーク様がどこの部屋に泊まってるか知らない!)

こうなっては手当たり次第、ドアをノックして確かめるしかないだろうか。

項垂れるセシリーだったが、そこでふと、頭の片隅で誰かが囁《ささや》きかけてきた。よく知っている声のような気がした。

「……右の、角部屋？」

どれが彼の泊まっている部屋か、セシリーは知るはずもないのに。

しかし階段を上りきったセシリーはなんとなく、右に進んでいた。

拳をぎゅっと握り、勇気を振り絞ってドアをノックをする。

「あの、ジーク様……いらっしゃいますか？」

返事はなかった。だが、室内から微かな物音が聞こえる。

しばらく待つが、ジークは応えない。だが、彼はここにいるという確信が芽生えていた。

「いらっしゃいますよね？　失礼、します」

マジョリカの家では、浴場と洗面所にしか鍵はついていない。それをいいことに、セシリーは勝手に踏み込むことにした。

思った通り、ジークは部屋にいた。

ドアのほうに背を向けて、自身のものだろう旅行鞄《かばん》の中身をひっくり返して漁っている。

緊張して喉奥に込み上げてきた唾を、セシリーは呑《の》み込んだ。

（わたし、この人と知り合い……なのよね）

確かに、そんな記憶がある。シャルロッテたちとの出会いと異なり、ジークにまつわる記憶は硝子《ガラス》を隔てたように朧《おぼろ》げだけれど、それは事実だと思えた。

一緒に旅行してきたのだから、不仲ではないはず。しかし背を向けるジークとセシリーの間には、目に見えない大きな壁があるように感じられた。

ジークは一心不乱に、携帯用の革袋に荷物を詰め替えている。

「あの、どうして荷造り……しているんですか？」

「なんでもいいだろう」

突き放すような物言いに、セシリーは肩を震わせる。

彼に拒絶された心臓が、冷たく凍えていく。

「何か用があるなら、早く言ってくれ。これから出かける用事がある」

佇《たたず》むセシリーから怯《おび》えを感じ取ったのだろう。ジークが疲れのにじむ息を吐いた。

「……気が立っている自覚がある。すまないが……出て行ってもらえると助かる」

「……でも、わたし」

ジークに訊きたいことがあった。いくつも、いくつも。

けれど本人を前にすると、言葉が喉奥に詰まって出てこない。何も言えずにいるセシリーを、ジークが一瞥《いちべつ》する。

「俺と君は、想い合っている」

小さな声だった。

だが、セシリーは聞き逃さなかった。硬直していると、ジークが苦く笑う。

見ていられないほど、痛々しい笑みだった。

「信じられないだろうな」

「……はい」

こくり、とセシリーは頷く。

セシリーが好きなのはケインだ。その事実が揺らぐことはない。

（でもこの人は、想い合っている……と言ったわ）

過去形ではなかった。今もそうなのだと告げたのだ。

「セシリーは優しいから……薬の支配下にある今も、俺を気にかけてくれるのかもしれないな」

口の中で何かを呟くと、ジークは立ち上がった。

革袋を背負っている。どこかに出かける用事があるというのは本当らしい。

ドアの前から動けずにいるセシリーに、ジークは困惑を露わにする。

「早く出て行ってくれ。今この場でよく知らない男に抱きしめられたら、君も困るだろう？」

「それは……」

口を噤《つぐ》むセシリーから、ジークが目を逸《そ》らす。

辛そうな横顔だった。それを目にしたとたん、針にちくりと刺されたようにセシリーのみぞおちあたりが痛む。

「出て行かないなら、俺が先に出て行く。少しどいてくれ」

「ジーク様」

（まただわ）

セシリーが呼ぶだけで、傷ついた顔をする。

心が苦しくなって、セシリーは一歩、やっとのことで後ろに下がった。

すれ違いざま、ジークが低い声で言う。

「今の俺が何を言っても、君には不審に思われるだけだろう。でも、これだけは伝えておく」

一瞬だけ、褐色の瞳がセシリーを見る。

その瞳に宿るものを見るだけで、分かった。ジークはわざと冷たく振る舞っている。そうすることで、自分の感情に歯止めをかけているのだと。

「俺は、君を他の誰かに譲ったりしない。絶対に」

何も言えずにいるセシリーを置いて、ジークは部屋から立ち去った。

閑話

名探偵ロッテちゃん2

A witch in love has drugged
an elite knight with a
love potion.

「さぁて、猫探しも終わったことだし、またケインの謎を追うわ！」

黄昏《たそが》れていたロッテちゃんは復活していた。

ちょっといろいろと寄り道はしたものの、ロッテちゃんの目下の任務はケインの謎を追うことにある。

さっそく助手のアルフォンスを連れて、ロッテちゃんは小さな里を歩く。

「今頃あの二人、花畑にいるんですかね？」

「そうね、その可能性が高いわ。花畑にはアルフォンスの下半身も行ったんでしょう？」

護衛任務を放棄して、という言葉はとりあえず飲み込んでおくロッテちゃん。

花畑には、セシリーと一緒に遊びに行く予定だった。それもケインの帰還で流れてしまっているが。

あの様子では、ロッテちゃんが誘ってもセシリーは首を横に振るだろう。ケインと一緒にいないといけないから、と言って。

惚《ほ》れ薬を飲まされると、心から余裕がなくなってしまうのだろうか？　たとえば今、セシリーがケインと旅行に行くと言い出したら、ロッテちゃんの同行を許してはくれなさそうだ。

ケインの顔色を窺《うかが》って、ごめんなさいと申し訳なさそうにする気がする。それはそれで構わないのだが、セシリーの意思がねじ曲げられているのはいやだと思う。

ジークと交際していたセシリーは、もっと楽しそうだった。

シャルロッテは誰かに恋をしたことなんてないけれど、彼と一緒にいるとき、彼の話をするとき、セシリーは世界でいちばんきれいでかわいいと、シャルロッテは思っていた。

「はい、なかなか素敵なところでしたよ、数種類の花が自生してて」

「へぇ……」

別に羨ましくなんかないけれどね、と相槌《あいづち》を打つロッテちゃん。

そういえば、とロッテちゃんは疑問に思う。

「アルフォンスの下半身、女の人だらけの里なのにあんまりはしゃいでないわね。いつもだったらすぐ女の人を誑《たぶら》かして現地妻を量産しているはずなのに」

見目が良く、態度は甘ったるく、口を開けば口説き文句が出てくるアルフォンスだ。被害者が出ていないのは安心ではあるが、静かすぎてやや不気味でもある。

そうロッテちゃんが言えば、聞こえが悪すぎる、とアルフォンスが肩を回してぼやく。なぜか少し機嫌が悪そうだ。

「そりゃあ、今のオレはお嬢様の護衛ですから」

「よく言うわ。雪花の宮にいるときだってサボりまくっているじゃない」

「いやいや。護衛をサボったことなんてありませんけど」

「え？　そうだった？」

考えてみると、確かにそうだわとロッテちゃんは納得した。

ジークによれば、アルフォンスはしょっちゅう聖空騎士団の訓練をサボるそうだが、ロッテちゃんの護衛任務をサボったことはなかったのだ。

さすがに国王の耳に入ってはまずいと自重しているのか。いや、訓練をサボる時点で国防を担う騎士としてどうかと思うが……。

まぁいいか、とロッテちゃんは思考を放棄した。今はアルフォンスではなく、セシリーとケインの件が大事だ。

「って、あれ？」

急にアルフォンスが立ち止まった。

彼の視線の先を追い、ロッテちゃんは目を光らせる。そこには、なぜかケインがひとりで道ばたを歩いていた。

「あそこに見えるはケインの下半身ね。あとを追うわよ」

どうしてセシリーが一緒にいないのかは不明だが、これは彼の謎を探る大チャンスである。

「お嬢様、ちょっとストップ。この距離で尾行したらばれますよ」

止めようとするアルフォンスだったが、聖空騎士団副団長たる彼は気がつく。

ケインの足取りは隠しきれない苛立ちをにじませている。猫のように警戒心が強いケインだが、今の集中力が乱れた状態ならば、悟られることはなさそうだ。

「……いや、大丈夫そうですね。このままついていきましょう」

「ええ！」

ロッテちゃんは意気込んで頷《うなず》いた。柱や塀、木々に身を隠しながらケインのあとを追いかける。

「見たところ、ケインはマジョリカおばあさまの家に向かってるわね」

家というより屋敷と呼ぶべき、立派な洋館である。

昨晩、ロッテちゃんたちはマジョリカの家に泊めてもらった。マジョリカはこんなにたくさんセシリーの友達が来てくれるなんて、と笑顔で迎えてくれた。

ケインは迷わず屋敷に入っていく。ドアが閉まるのを確認しながら、アルフォンスは顎に手を当てた。

「どうします？」

「もちろん、わたくしたちも忍び込むわ。名探偵ロッテちゃんに不可能はないわよ！」

不可能も何も、どの部屋にも鍵がかかっていないので忍び込むのはとっても簡単だ。

「お嬢様。指摘してもいいですか？」

「何よ」

「顔赤いですよ。ロッテちゃんって名乗るの、少し恥ずかしくなってきたでしょ」

痛いところを突かれたロッテちゃんこと十四歳のシャルロッテは、ぐうの音も出ない。

「……そ、そんなことないわよ！　いいから任務に集中なさい！」

アルフォンスに鋭く注意を飛ばして、ゆっくりと玄関ドアを開ける。

隙間から顔だけ出して確認すると、ケインは手前の応接間に入っていくところだった。シャルロッテは四つん這《ば》いになって部屋の前まで移動すると、しゃがみ込んだままドアにぴとっと耳を押し当てた。

「本に書いてあったわ。壁に耳を当てると隣室の音が拾えるんですって」

「へぇ……」

『突然すみません』

部屋の中からケインの声が聞こえてくる。壁に耳を当てていないアルフォンスにも、よく聞こえている。

「お嬢様」

「……何も言わないで」

シャルロッテはすすっと壁から耳を離した。

「にしてもこういうの、ちょっとドキドキしますね」

「もう、真剣にやりなさいよね。……ちょっと分かるけれど」

こっそりと会話を盗み聞きするという行為は、なんだか背徳感に満ちていてわくわくするのだ。

中から聞こえてきたのは、ケインとグレタの会話だった。

『ふぅ、今日はやたらといろんな若人が訪ねて来るわね』

『おばさん、ちょっと訊《き》きたいことがあって……』

『ぶん殴るわよ』

『……グレタお姉さん。里いちばんの実力を持つ美貌のお姉さんに質問があるんです』

『なんでも訊きなさい』

『ありがとうございます。その……僕はちゃんと惚れ薬を作りました。薬草類、アイアイガエルの生き血、ピンクトカゲの尻尾、湖に浮かぶ満月がみたび愛でた水、僕の毛根ごと髪の毛千本、僕の血液……調合方法も材料も、何も間違っていないはずです。それなのにセシリーは僕じゃなくてあの男を気にしてる』

シャルロッテは真剣に耳を傾けつつも、どっと冷や汗をかいた。

初めて知った惚れ薬の材料がいろいろとエグすぎるのだ。薬草類以外のすべてが許容外、拷問レベルである。そんなものを飲まされたと分かれば、百年の恋も冷めそうなものだが……。

『教えてください。僕の調合には何か誤りがありますか？』

『ないわよ、そんなもの。集会所で見たときも、さすがにうまい調合だと感心したくらいだわ。あなただって自信はあるんでしょ？』

『だったら、セシリーは僕に惚れるはずなのに！』

ケインが怒鳴り声を上げたので、シャルロッテは身体を震わせた。

あぐらをかいていたアルフォンスが、シャルロッテを見やる。何も心配することはないというように。その視線が、騒ぐ鼓動をわずかに落ち着かせてくれる。

室内からは大声を出してすみません、とケインの謝る声が聞こえた。

『おば……グレタお姉さんも、スウェルおじさんに惚れ薬を飲ませたんですよね。そのときのおじさんの様子と、セシリーの様子は違いますか？』

『あたくしとダーリンの場合は、参考にならないんじゃないかしら。ダーリンはもともと、あたくしに惚れていたわけだから。うふふっ』

『……セシリーは僕に惚れていなかったから、無意味だと？』

『無意味とまでは言わないけどね。でも、あなたが手を拱《こまね》いている間にジークくんは行動を起こしたわよ』

『どういう意味です？』

ケインの声音に、訝《いぶか》しげな響きが宿る。

『ジークくんはセシリーの心を取り戻すために、幻の泉を探しに行ったのよ。荷造りを終えて、そろそろ出かけたかもしれないわ』

『……まさか、そんな。嘘《うそ》でしょう？』

呆《あき》れたようにケインが笑うが、その笑い声は小さく萎《しぼ》んでいく。

『この山のどこかに、妖精王が住む泉があって……その泉の水は、どんな毒だってたちまち解毒するっていう伝説……そんなの、ただのおとぎ話じゃないですか。あいつはそんな眉唾物《まゆつばもの》を信じたんですか？　本気で？』

『あたくしはちゃんと説明したのよ。でもジークくんは、藁《わら》にも縋《すが》りたい思いだからって。彼は信じることにしたんでしょうね、その伝説を』

しばらく、室内を沈黙が満たす。

『……そうですか。でも僕には関係ないことです。これで失礼します』

「ええっ」

シャルロッテは大いに焦った。失礼するのが急すぎる。

このままではケインと鉢合わせになってしまう。盗み聞きしたことがバレたら、あのいやみったらしい男に何を言われるか分かったものではない。

だが、廊下には隠れる場所がない。どうすればいいのかしらとシャルロッテがおろおろしていると、アルフォンスが早口で言った。

「殿下、あとで殴ってもいいです」

「はぇっ?」

それ以上、何かを言う時間はなかった。

間の抜けた声を上げたシャルロッテの胴体が、力強い腕によって抱え上げられる。驚いて声を上げそうになれば、口元を大きな手が塞いでしまった。

「もが――」

言葉にならない悲鳴を上げるシャルロッテの視界がぶれる。シャルロッテを抱えた人物――アルフォンスが走り出したのだ。

素早い動物のような動きで隣室のドアを音もなく開けたアルフォンスが、室内に滑り込む。彼の靴の裏がキュッ、とわずかに摩擦する音を立てたかと思えば、そのままシャルロッテの視界は薄暗くなった。

――後ろから抱きしめられている。

温かさと、頭の上から降ってくる自分のものではない息遣いに、シャルロッテの息が止まる。

壁の向こうから、ドアを閉める音が聞こえた。ケインが玄関ホールを通って外に出て行ったのだ。

ふぅ、と掠《かす》れた息を吐いたアルフォンスの気配が、ゆっくりと離れた。

「ア、アルフォンス、あ、あっ、あなたっ……」

王女を童のように持ち上げるなんて。

否、そもそも男性恐怖症のシャルロッテを抱え上げて、あまつさえその唇を手で塞いでしまうだなんて！

わなわなと震えるシャルロッテから距離を取ると、アルフォンスが片膝をついて頭を垂れる。

「申し訳ございませんでした、殿下。いかなる処罰も甘んじて受けます」

「……っ」

アルフォンスが冷静だから、またシャルロッテはかき乱される。

聖空騎士団が雪花の宮の警備、並びにシャルロッテの護衛を担当することが決まった際、両者の間にはいくつかの取り決めがなされていた。

その中のひとつが、緊急時を除き、護衛対象であるシャルロッテに指一本たりとも触れてはならない、というものだ。

だが今が、緊急時だったのも事実である。命の危険ではないけれど、シャルロッテの名誉を守るためにアルフォンスは行動してくれた。

……ということよりも、物心ついてから初めて男の人に抱きしめられた、というドキドキがシャルロッテの全身に鳴り響いていた。

つい数時間前、頭を小指で撫《な》でられたりもしたけれど――ちなみにあのときも、ロッテちゃんが落ち込んでいたので緊急時に該当する――そのときよりずっと、近かった。お互いの香りすら、よく感じられるくらいに。

シャルロッテにとって、男の人は恐怖の対象だ。性欲の権化だ。悪しき生物だ。

でも汗ばんだアルフォンスの香りが、いやではなかった。

「……いいえ、殴らないし罰は与えないわ。あなたはわたくしを助けてくれたんだもの。むしろお礼を言います」

「お礼を言う人の顔じゃないですけどね」

青筋を浮かべてびきびき引きつったシャルロッテの顔は、確かに助けられた少女の顔とはほど遠かっただろう。照れ隠しのためには致し方なかったのだが。

ふんっ、と鼻を鳴らして髪をかき上げたシャルロッテは、そこで目を見開いた。壁際にセシリーが座り込んでいたのだ。

「わっ、セシリーじゃない。あなた、こんなところでどうしたの？」

「ロッテ様……」

膝を抱えたセシリーが、こちらを見る。

どうやら盗み聞きしていたのは、シャルロッテとアルフォンスだけではなかったらしい。セシリーもまたここで息を潜めて、隣室の会話を聞いていたのだろう。

その理由がシャルロッテには分からなかった。

だがケインの話を思い返せば、ひとつの推測が成り立つ。

セシリーはきっと、ジークのことを気にしている。惚れ薬を飲んでも、心のどこかでジークを気にかけているのだ。

だとしたら、大切な友達のためにシャルロッテにできることは――。

「セシリー、すっかり暗い顔をしてるわね」

シャルロッテは、あえて明るい声でそう言い放った。

「わたくし、この里に来てから楽しそうなセシリーが見られて嬉《うれ》しかったのに。それは、ちょっぴり残念だわ」

不安そうに瞳を揺らしているセシリーに、シャルロッテは微笑みかける。

「ねぇ、持ってきた荷物はどうしたの？」

「え？」

「大事なものが入ってるって、あなた言ってたから。団長の下半身を追いかけるつもりなら、持って行ったほうがいいんじゃないかしら。いざというとき、助けになるかもしれないわ」

ぽかんとしていたセシリーだが、やがて頭を下げると、スカートを払って部屋を出た。

ぱたぱたと足音が遠のいていく。

会話の意味がよく分からなかったらしいアルフォンスが、首を傾げている。

「お嬢様。セシリーちゃんの大事なものって？」

「……内緒よ。セシリーから口止めされてるもの」

ハァ、とシャルロッテは溜《た》め息を吐《つ》き、先ほどのセシリーがそうしていたように膝を抱えて座り込んだ。

セシリーについていくべきだっただろうか。無類の強さを誇り、数多くの武勲を持つ聖空騎士団の団長ジークといえども、よく知らない山の中を歩き回るなんて危険に決まっている。

でも、思ってしまったのだ。今も何かと戦っているセシリーの邪魔をしてはいけないと。

『二人とも、盗み聞きは楽しかった？』

「はひっ」

隣室からの呼びかけに、驚きすぎたシャルロッテは舌を噛《か》んだ。

涙目で身悶《みもだ》えながら、壁に向かって言い訳しようとする。

「ご、ごめんなさいっ。これはその」

『あら、謝ることないわよ。うちのセシリーを心配してくださったんでしょ？』

落ち着いたグレタの物言いに、シャルロッテは眉尻を下げる。

「……グレタ先生は……セシリーのことが心配じゃないの？」

『心配だわ。でもセシリーは弱い子じゃないから』

シャルロッテも同じ意見だ。でも、グレタのように言い張る強さはシャルロッテ自身にない。

『一応ロロについていくよう言っておいたから、大事は起こらないはずよ。……さて、あたくしはそろそろダーリンのところに帰らないと』

グレタが部屋から出て行く。

冷たい床に座り込むシャルロッテに、アルフォンスが声をかける。

「お茶でも飲みましょうか。淹《い》れてきますよ」

「……アルフォンスの下半身。わたくしって無力ね」

舌を噛んだ痛みだけではないものが、エメラルドの瞳を濡《ぬ》らしている。

「セシリーのために何かしてあげたかったのに、なんの役にも立ってないわ」

うーん、とアルフォンスは小さく唸《うな》る。

「そうかなぁ」

「慰めはいらないわっ」

不甲斐《ふがい》なさを励まされたいときもあれば、放っておいてほしいときもある。

蹲《うずくま》るシャルロッテの耳に、お茶の準備をするアルフォンスの声が届く。

「セシリーちゃん、ちょっといい顔になってた気がしますけどね」

笑みを含んだ、楽しげな声音だった。

第五話 わたしを奪う人

A witch in love has drugged
an elite knight with a
love potion.

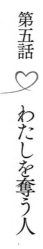

「ジーク様！」

闇の中。

セシリーは何度も呼びかけながら、ひとり山の中を歩いていた。

「ジーク様、どこですか？　返事をしてください！」

捜し回って、すでに二時間は経っただろうか。今のところジークはまったく見つからず、手掛かりになるものも見つけられていなかった。

すっかり日は暮れている。山の中はすぐに暗くなるし、気温も下がってきた。

（いっそ、王都に戻っていてくれれば）

そう期待してしまう。そのほうが、ずっとましだ。

グレタの話では、ジークは伝説として言い伝えられる泉を探しているらしい。

マジョリカの家でその話を聞いたのは、グレタにそう仕向けられたからだ。あのとき、ジークの部屋を訪ねたが素っ気なく彼は立ち去ってしまい、セシリーは家に帰ろうと一階に下りてきていた。失意のセシリーを呼び止めたのは、応接間から出てきたグレタだった。「このあとおもしろいことが起こるから、隣の部屋で聞いてなさい」と言われ、セシリーはわけもわからず隣室で待機していたのだ。

そうして始まったのは、ケインとグレタの会話だった。セシリーは息を殺して二人の話を聞いていた。聞くことしかできなかった。

——妖精王が住む、伝説の泉。

魔女の里で育った者ならば、誰もが一度は探したことのある泉だ。セシリーだって大人たちに内緒で、こっそりと探しに行ったことがある。しかし見つけられた者はひとりもいなかった。里こそ隠されているものの、旅人が遭難するほど大きな山ではない。低地では木道が整備されていて、行商人や旅人が使っている。ここは神秘の眠る場所ではないのだ。

だから、いつからか誰もが泉なんてどこにもないのだと理解する。騒ぐ子どもたちを微笑ましく眺めて、自分もあんな風に泉を探したことがあったなと懐かしく思ったりする。

そんな代物を、ジークだって本気で探したりはしないはずだ。

それでも今、セシリーは声を嗄《か》らして彼の名前を呼んでいる。

セシリーとて山の中に精通しているわけではない。魔獣はともかくとして、凶暴な生物と出会《でくわ》す危険性もあるのだ。

ランタンの炎を頼りに進んでいるものの、足元が覚束《おぼつか》ない中で歩き続ける恐怖もある。がさりと茂みから音がするだけで縮み上がるし、足には疲労が蓄積されてきた。

(そろそろ戻るべき?)

王都には戻っていなくても、諦めてマジョリカの家には戻っているかもしれない。彼は昨夜一睡もしていないというし、そんな疲れた身体を引きずって歩き続けることはできないはずだ。

引き返して帰り道を辿《たど》ろうとしたとき。

セシリーは低木の枝に、何か布のようなものが引っ掛かっているのを発見した。

手に取り、ランタンの明かりにかざしてみる。青色の上質な布。

――それは、ジークが着ていた服の切れ端に思えた。

「……まさか」

覗《のぞ》き込めば、数日前の大雨で崩れたのか斜面に大量の木々が倒れている。

(ジーク様は、ここから落ちた?)

セシリーの顔から血の気が引く。

滑落しながら、倒木や切り株に当たったのだとしたら怪我をしているはずだ。当たり所が悪ければ、死に至る可能性もある。

セシリーは焦りながらランタンをかざすが、遠くの様子は見えない。斜面の途中でジークが倒れているかも分からない。

「……降りていってみるしかないわ」

少し遠回りにはなるが、近くの木々を伝っていけば下のほうまで辿り着ける。

セシリーは慎重に、四肢に力を込めて道とは呼べない道を下っていく。片手はランタンで塞がっているので、その作業は思っていた以上に難航した。

たまに、ちくりと手のひらに痛みが走る。木の皮か何かが刺さったのだろう。だがそんな小さな痛みに構っている場合ではない。

数十分をかけて、セシリーはどうにか開けた場所に下りていた。

偶然というべきか、すぐ近くに小さな泉があった。否、水が湧き出ているわけではないので池か、大きな水溜《みずた》まりと呼ぶべきだろうか。

だが、それどころではなかった。池の近くにジークが倒れていたのだ。

セシリーは息を詰め、彼の傍《そば》に駆け寄る。

「こんなにボロボロになって……」

思った通り、暗い中、斜面で足を滑らせてしまったのだろう。気を失い、下生えの中に仰向けで倒れている。服は土や埃《ほこり》ですっかり汚れて、所々からわずかに血がにじんでいた。

ほっとするような、苦しいような衝動を覚えて、セシリーは瞳ににじみかけた涙を拭った。泣いている場合ではない。今ここにはセシリーしかいないのだ。

ランタンを平坦《へいたん》な岩の上に置き、上着を脱がせてジークの容態を確かめる。

不幸中の幸いというべきか、骨が折れたりはしていないようだ。頭を打っているかは分からない。触って確かめた限り血の出ている箇所はなさそうだ。

持ってきた鞄《かばん》を地面に置いて、セシリーはふと思い出した。

「そういえば、シャルロッテ様が言ってた……」

いざというとき、この中に助けになるものが入っているとシャルロッテは口にしていた。

だからセシリーはいったん家に寄って、この鞄を持ってきた。急《せ》いていたので中身の精査もせずそのまま持ってきてしまったのは、失敗だったかもしれないが。

セシリーは鞄を開けた。探ってみて、すぐに何かの布を掴《つか》む。

手当たり次第に引っ張れば、それは一枚のハンカチだった。

「怪我に巻くのに使えるかしら」

いや、確か別に包帯も持ってきていたはずだ。

そう思いながらランタンにかざしてみて、ハンカチに模様があるのに気がついた。

(何か、描かれてる)

なんだろうと見つめてみて、読み取る。

ゆらめく炎に、照らされている。


——G・i・e・k——


それは、刺繍《ししゅう》だった。

青の力強い糸で、ある人物の名前を。

銀と青を組み合わせた糸で、飛び立つ飛竜の柄を。

一針一針、心を込めたのだろう。丁寧に縫ってあるのが一目で分かる。

セシリーは確かめるように、表面をそうっと撫《な》でる。何度も撫でる。繰り返し、そのハンカチを。

「あ……」

「ああ…………」

ぽろ。

ぽろ、ぽろぽろと、セシリーの滑らかな頬を涙がこぼれていった。

(これを刺したのは……わたしだ)

自分が作ったものなのだ。目にすれば、触れれば、すぐに分かる。まだまだ下手だけれど、がんばって、時間をかけて、針を刺していったのだと。

流れる涙をごしごしと拭うと、セシリーは頰を叩《たた》いた。

目を腫《は》らす前にやるべきことがある。まずは、ジークを手当しなくては。

セシリーは持ち物から、手当のための道具を取り出していった。

◇◇◇

暗闇に包まれるはずの山中で、小さなオイルランタンの炎が揺れている。

その炎で手元を照らしていたセシリーは、ふぅと息を吐いて顔を拭った。

「ええと、次は……」

「……う」

弾かれたように視線を投げると、白いシーツに横たわったジークが目を開けている。

「ジーク様！　気がついたんですね」

満面の笑みで話しかけてみるものの、ジークはどこかぼんやりとしている。

「……は」

何か言いかけるジークだが、その声は掠《かす》れていてほとんど聞き取れない。

ジークが起き上がろうとしたので、セシリーは彼の背中を支えて上半身を起こすのを手伝った。

持ってきた水筒の蓋を開けて、遠慮がちに差し出す。

「飲めますか？」

「……ああ」

ジークは小さく頷くと、セシリーの手から水筒を受け取った。

中身をゆっくりと飲んでいく。喉仏が確かに動いているのを見ると、セシリーはほっとした。

「どこか、痛むところはありますか？　頭を打ったかどうかは？」

「……大丈夫だ。頭も、打っていない」

応答もしっかりしている。問題なさそうだ。

もう一度、ジークをシーツの上に寝かせる。少しずつ気温が下がってきたので、身体には毛布をかける。

すでに怪我の手当は終えた。水で傷口を洗い流し、それぞれ切り傷や擦過傷《さっかしょう》に効果のある塗り薬を塗布して包帯を巻いた。

薬はどれも旅行用に新しく調薬したものを持参してきた。セシリーは半人前の魔女ではあるが、ちゃんと効くはずだ。

甲斐甲斐《かいがい》しく動き回って世話を焼くセシリーを、ジークは目だけで追っている。

かと思えば、その唇は小さく動いていた。

「……だから何度も言っているだろう、妖精王。俺は、惚《ほ》れ薬の解毒薬がほしいのであって……やめてくれ、また彼女の幻覚を見せるのは」

「はい？」

（妖精王？　寝ぼけているのかしら？）

セシリーがジークを見たところ、怪我より何より問題なのは睡眠不足と疲労だ。暗がりで足を踏み外したのも、疲労がたたってのことだろう。

「セシリーが、俺の傍にいるわけがないからな。それとも俺は、死んで……幸せな夢を見ているのか？」

そう思って放置していたら、何やらとんでもないことを言い始めている。

「そうか、夢か。最期に見るのがセシリーの夢なら、悪くはないな」

「あの――」

否定しようとして、セシリーは思い直した。

ジークは今、縋《すが》るものを探しているのだ。だとしたら寝ぼけた彼に、余計なことを言わないほうがいい。

「ええ、そうですジーク様。あなたは夢を見ています」

「いや……現実か」

セシリーはぎくりとした。どうして急に理解したのだろう。

ジークは疲れ切ったような顔で呟《つぶや》いた。

「セシリーは俺を、そうは呼ばない。敬語で話したりも……しない」

諦めたような物言いをして唇を噛《か》み締めると、ジークはセシリーを胡乱《うろん》げに見やった。

「どうして、君がここに？」

「ママに話を聞いて、追いかけてきました。ジーク様が山の中で迷ってるかもしれないと思って」

「俺は平気だ。だから、早く戻るといい」

ケインのところへ、とはジークは言わない。

しかし今のセシリーには、大人しくジークに従うつもりがなかった。

「ジーク様、お願いがあります。あなたの毛髪と血液をください」

「……俺の毛髪？　それに血液だと？」

なぜそんなものを、と横たわったジークの目が訝《いぶか》しげに細められる。

セシリーは意を決して打ち明けた。

「惚れ薬を作りたいんです」

ジークが、口を半開きにする。

「……なんだと？」

セシリーは胸に手を当てて説明する。

「あなたの毛髪と血液が入った惚れ薬を飲めば、わたしはあなたに惚れるはずです。そうすれば、ケインの作った惚れ薬の効果は相殺されるかもしれません」

「………………」

「みんなの反応を見ていれば、分かります。ケインは、わたしに惚れ薬を飲ませたんでしょう？　だったら、わたしがもう一度、惚れ薬を飲めば……」

「それは、何かの冗談か？」

呆《あき》れたようにジークが口の端を歪《ゆが》める。

「冗談なんかじゃありません！」

だが、セシリーは譲らない。

本気だと悟ったのだろう、ジークが顔をしかめる。しばらくの沈黙のあと、彼は口を開いた。

「下らないことを言わないでくれ」

セシリーの思いを一蹴する声は、夜闇にどこまでも冷淡に響く。

「今の君はケインが好きなんだろう？　そんなことをしてなんの意味がある。自分の心を薬にばかり操らせるつもりか？」

「それは……っ」

冷たい声音。凍てつくような視線。

セシリーが黙り込んでしまえば、ほら見ろ、と言わんばかりにジークが続ける。

「君は、ケインのことが好きなんだろう？」

「っ違います！」

弾かれたようにセシリーは叫んでいた。

「違う、違う。ぜんぜん違う！」

「セシリー……？」

困惑したジークが、思わずといった風に伸ばした手をゆっくりと引っ込める。

セシリーに触れるのを躊躇《ためら》っている。セシリーが惚れ薬を飲んでしまったから。でも本当は、無理やりにでも触れてほしかった。そんな素直な気持ちを言霊《ことだま》にはできなくて、セシリーは怒っているように声を振り絞ることしかできなかった。

「わたしがこんなに苦しいのは、ケインが好きだからじゃありません！　もしケインが好きなら、こんなにも苦しくなんてならないもの！　あなたのことなんて放っておいて、それで今頃、ケインと楽しくお喋りしてたもの！」

胸元を押さえて、セシリーはそう訴える。

視界が涙でにじんでいく。流れ落ちていく液体をそのままに、セシリーは想いを吐き出した。

「あなたを見るたび、息が苦しくなる。泣きたいような、気持ちになる。これは……この気持ちが嘘《うそ》だなんてわたしは、思わない」

ジークは呆然《ぼうぜん》とセシリーを見つめている。それでも何かを期待するような色が、双眸《そうぼう》に宿っている。

だからセシリーは途切れ途切れでも、口にすることができた。

「ケインじゃ、ないの」

胸の真ん中にいるのは、違う人だ。

「他の誰でもない。あなたを知りたいの、ジーク様」

必死に伝えるセシリーの頰に、ジークが触れる。

彼は身体を起こしていた。セシリーは逞《たくま》しい胸板に、無意識に手を伸ばしていた。

ジークが息を吞《の》む。身体が熱い。その熱に触れているだけで、セシリーは自分が溶けてしまうのではないかと思う。

顎を持ち上げられて、目と目が合う。

「いいのか。このままでは俺は、君にキスをするぞ」

「……して」

セシリーは舌の上に、今度こそ言葉を乗せた。

一瞬の躊躇《ちゅうちょ》を挟んで、ジークがセシリーの唇に触れる。

接触は、ほんの数秒だった。にもかかわらず、熱く痺《しび》れるような何かが、セシリーの全身にじんわりと広がっていく。

「……やっぱり」

目尻から、残った一滴の涙がこぼれ落ちる。

「あなたの唇、よく知ってるわ。ジーク」

泣き笑いの表情を浮かべて、セシリーはそう伝えた。

信じられないというように、ジークが目を見開く。

「セシリー、俺は……」

何かを言いかけたジークの上半身が、ゆっくりと傾いだ。

慌《あわ》ててセシリーは受け止めようとするが、すでにジークの意識はなかった。引きずられるように倒れ込みながらも、セシリーは名前を呼ぶ。

「ジーク？　ジークっ？　大丈夫⁉」

目を閉じたジークの返事はない。

「ジーク！　セシリーちゃん！」

遠くから近づいてくる明かりと共に、聞こえてきたのはアルフォンスの声だった。

「ここです、アルフォンス様！」

セシリーは声を振り絞った。ぐったりとしたジークを、二度と離さないというように抱きしめたまま。

第六話　ケインの嘘

A witch in love has drugged
an elite knight with a
love potion.

翌日の朝、マジョリカの家である。

魔女の里に戻ってきたセシリーは、ほとんど休まずにジークの看病をしていた。

といっても、外傷の手当は済んでいる。ジークはただ疲れて眠っているだけに思えたが、それでも傍《そば》にいたかったのだ。

桶《おけ》に汲《く》んできた新鮮な水に手拭いを浸すと、きゅっと絞り、ジークの額をそっと拭いた。

ベッド脇の椅子に座って、祈るように両手を組む。

(ジーク……早く目を覚まして)

ドアがノックされる。振り向かず返事だけをするが、ドアが開いたきり気配は動かなかった。

セシリーはゆっくりと振り返る。ジークの様子を見に来たアルフォンスか誰かかと思ったのだが、そこに立っていたのはケインだった。

「ケイン……」

「驚いたよ、セシリー。里を抜けて、そいつを助けに行ったんだってね」

反射的に謝りそうになったセシリーだったが、無言のままケインを見上げる。

「でも、もういいだろう？　セシリーは僕の恋人なんだ。他の男に付き添って看病するなんて、やめてほしい」

不実を責める恋人の口調。

だが、セシリーはそれに感化されない。

「いいえ。わたしが付き添って看病する男の人は、今もこれからもジークだけよ」

セシリーがはっきり言い返すと、ケインが薄い唇を震わせた。

惚《ほ》れ薬の効果は、おそらく切れている。愛の力で——などというといかにも眉唾《まゆつば》っぽいのだが、そうとしか説明がつかない。

セシリーが惚れ薬を飲んだのは生まれて初めてのことだ。優秀だというケインが作った薬なのだから、効き目も確かなものだっただろう。

しかしその効果は、セシリーには中途半端にしか現れなかった。

薬が効いている最中も、ケインに対して好意的な感情は抱いていたものの、それは友愛の類いでしかなかった。恋愛感情とはほど遠いものだったのだ。

その違いが、セシリーには明確に感じられた。

(だってわたしは、本物の〝好き〟を知っているもの)

人を好きになったら、あんなものじゃないのだ。好きで、好きすぎて、その人ばかり見つめて、自分のことをよそ見せずにずっと見ていてほしいと思ってしまう。

ドキドキしたり、恥ずかしかったりで、毎日がてんやわんやで——傍で過ごす時間が、何よりも幸福だった。

セシリーにとっての好き《ジーク》は、そういうものだった。

「セシリー……惚れ薬の効果が、もう解けたの?」

「そうみたい。わたしの頭の中は、今まで通りジークでいっぱいだもの。他の人が入る余地はどこにもないわ」

ケインにとって残酷かもしれない事実を、セシリーはただ揺るぎないこととして述べる。

「あのね、ケイン。わたし、約束の件をよく覚えてないの」

立ち上がったセシリーは、そうケインに切り出した。

「十年前、花畑で何かを話した記憶はあるんだけど……昔のことだから、詳しく覚えてなくて。わたしは本当に、ケインと結婚の約束をしたの？」

「本当さ。本当に決まっているだろう？」

言い張るケインの声は震えている。

「惚れ薬の効果は切れたのかもしれない。でもそんなのは関係ないことだよ。君は確かに、僕と結婚するって言ったんだ。セシリー、約束を破るつもり？」

「それは……」

そのとき、バン！　と音を立ててドアが開かれた。

「話は聞かせてもらったわ。残念だったわね、ケインの下半身。セシリーや団長の下半身は騙《だま》せても、このピンク色の脳細胞を持つ名探偵ロッテちゃんの目がエメラルドのうちは誤魔化《ごまか》せないわ！」

「ロッテちゃん……⁉」

早口でまくし立てながら現れたシャルロッテを前に、セシリーは目を瞠《みは》る。

シャルロッテの後ろにはアルフォンスの姿もある。室内に入ってくるなり、シャルロッテは問答無用で言い放った。

「ケインの下半身。あなた、セシリーと結婚の約束をしたっていうのは嘘でしょう？」

（え？）

シャルロッテの指摘に驚いたセシリーは、ケインを見やる。

ケインの表情には、うっすらとした焦りが感じ取れた。

「名探偵殿。どうしてそんなことが言えるのかな？」

「名探偵にかかれば、こんなのは謎でもなんでもないのよ」

ちっちっち、とシャルロッテが指を横に振る。なぜか首まで一緒に振っているが。

「第一に考えるべきは、セシリーの性格ね。セシリーはとんでもなくロマンチックな乙女よ。そんなときめく約束をどこかの下半身と交わしたなら、ゼッタイに忘れるはずがないの」

「でも、僕らが約束したのは十年前のことだ。セシリーが忘れたとしても無理はないだろう？」

「あるわね。ありありよ」

ふふん、とシャルロッテが不敵に笑う。

「そんなキュンと来る約束を忘れる乙女は、乙女にあらーず！　つまり、セシリーが十年ぽっちで大事な約束を忘れたというのは無茶なのよ！」

「お嬢様の推理もわりと無理筋ですけど……」

「お黙り助手！」

シャルロッテが茶々を入れたアルフォンスを一喝する。

「それで、わたくしは親友に惚れ薬を飲ませたあなたに、ちょっと怒っているから……ここからは厳しいことを言わせてもらうわ」

気迫漂うシャルロッテを前にして、ごくり、とケインが唾を呑《の》み込む。

「もしも、もしもよ。本当にあなたが十年前、セシリーと結婚をするって約束を交わしていたならね。

――約束を忘れられた時点で、あなたはセシリーにとってその程度の男だわ」


室内の時間が数秒間、止まる。

「これはキッツい……」とアルフォンスが同情するように囁《ささや》く。

呆然《ぼうぜん》としていたケインにとっては、それこそ時間が動き出した合図だったのかもしれない。ぎこちない笑みを浮かべて、深く俯《うつむ》いてしまう。

「……名探偵殿は、手厳しい」

「もおおっと言うなら、忘れられて、しかも恋人ができていたからって腹いせに惚れ薬を飲ませるのはものすごくかっこ悪いわ。そういうときは、黙って祝福してあげるものなのよ。家に帰ってから、結婚式の引き出物を泣きながらひとりで食べるものなのよ。人を愛するって、そういうことなんだから！」

「ロ、ロッテお嬢様。そのへんで勘弁してあげてください……」

ボロ雑巾になったケインを容赦なく切り刻み続けるシャルロッテの連続攻撃を、アルフォンスが止める。

だがケインは逃げ出さずに、そんな耳に痛い言葉を受け止めたようだった。

「僕は、かっこ悪いですね」

「ええ、かっこ悪いわ。でも今気づけたんなら、まだやり直せるわよ。人生、まだまだ長いもの」

ケインが顔を上げる。

セシリーの目には、ケインの表情がすっきりとして見えた。何か、憑《つ》き物が落ちたような顔をしている。

「ありがとう、名探偵殿。おかげで目が覚めました」

「分かったなら、傷口に塩は塗らず名探偵は退散するわ。ごきげんよう」

「いや、すでに容赦なく塗りたくってましたけど……」

「お黙り助手！」

ごちゃごちゃ話しつつ、探偵と助手が部屋から出て行く。

取り残されたセシリーが何も言えずにいると、ケインががばりと頭を下げた。

「セシリー、今まで騙していてごめん。嘘を吐《つ》いてごめん」

「ケイン……」

「惚れ薬を飲ませたのも、約束を偽ったことも、許してくれとは言わない。でも、本当にごめん」

両手の拳をぐっと握りながら、ケインは何度も謝ってくる。

後悔のにじむ声を聞きながら、セシリーは首を横に振った。

「ケイン。惚れ薬の件については、責めるつもりはないわ」

「なんで？」

「わたしも、あなたと同じことをしたから」

「え？　同じこと？」

ケインがきょとんとする。

恥ずかしい過去を明かすのは、いっそ当時よりも恥ずかしい。しかしセシリーは、赤い顔をしながら打ち明けた。

助けてくれたジークに一目惚れをしたが、勘違いをして彼に幻滅し、惚れ薬を調合したこと。ジークを騙して飲ませてやろうと、画策したこと――。

「実際は惚れ薬じゃなくて、調合に失敗して別の薬になっちゃったし、ジークは勝手に飲んじゃったんだけど……って、それはもういいわよね。ね！」

つぶさに語るのは恥ずかしいので、セシリーは無理やり話を切り上げる。

それにケインには、まだ訊《き》きたいことが残っている。

「ねぇ。ケインはどうしてわたしに、惚れ薬を飲ませたの？」

「それは……」

弱々しく、ケインが微笑む。

「十年間の修行なんだけどさ。けっこう厳しくて、辛いことだらけだった。魔力を制御するのに毎日必死で、いつも疲れて泥のように眠って。その繰り返しの毎日で……楽しいことなんて、ほとんどなかった」

「ケイン……」

思わず、セシリーはその名を呼ぶ。

この里で思い出の場所を巡ろうとしたのも、そのせいだったのだろうか。

ケインの言葉は、いつも過去にばかり向いていた。毎日が楽しくて、のんびりとしていて、難しいことはひとつもなかった子どもの頃の日々。

彼がセシリーの最近の話を聞きたがらなかったのも、そのせいなのかもしれない。

「――本当は僕、セシリーのことが、そこまで好きだったわけじゃないんだと思う」

「うん」

ただ、修行を始める前に出会ったセシリーの存在が、少し特別だっただけ。

恋に恋していた頃のセシリーと同じだ。辛い修行の日々を送るケインの中で、自分と年齢の近い少女と過ごした過去の記憶は、きっと宝石のように美化されていった。そんな不確かなものに、ケインは縋《すが》りつくしかなかったのだ。

「たぶん僕は、寂しかったんだ」

寂しい、とケインは漏らす。その感情にはセシリーも覚えがあった。

スウェルに一年間の思い出を話すとき、ジークの名前を出せないのが寂しかった。

惚れ薬によってジークを忘れている間も、セシリーはずっと寂しかった。それほどまでにジークの存在は大きく、セシリーの孤独を埋めてくれていたのだ。

(もしかすると、ジークを忘れたまま生きていくこともできるのかもしれないけど)

そんな風に生きていくセシリーは、たぶん、シャルロッテが指摘したようにときどき暗い顔をしている。何をしていても、寂しさの影が付きまとってしまう。

(ジークといると、わたしは、それだけでなんだか幸せ)

そんな人と出逢《であ》って恋に落ちたことは、本当に奇跡なのだろう。

「じゃあ、僕はこれで」

ケインが踵《きびす》を返そうとするので、セシリーは慌《あわ》てて呼び止めた。

「ケイン、どこかに行っちゃうの？」

「今すぐ、勝手に里を出て行ったりはしないよ。……それじゃあ」

どこか晴れ晴れしい笑みを浮かべて、ケインが退室する。

セシリーはその背中を黙って見送った。なんともいえない気持ちになっていると、後ろから身動《みじろ》ぎの音がした。

ぱっと振り返れば、ジークが目蓋《まぶた》を開けている。

その瞬間、セシリーは口にしていた。

「ジーク、結婚式を開きましょう」

「……え？」

そりゃあどんなにセシリーを愛してくれているジークでも「……え？」ともなるだろう。ふつうだったら「目を覚ましたのね！」とか「大丈夫？」とか「みんなを呼んでくる！」とか言うべき場面である。

でも、セシリーは真っ先にそう言っていた。

「ジーク。わたし、ジークと今すぐ結婚したい！」

「セシリー……」

未だぽかんとしているジークだったが、セシリーの本気度は伝わったらしい。

「分かった。結婚しよう」

「うん！」

二人の意思はひとつだった。

「でもね、もちろんジークのご家族や、聖空騎士団のみんなにも式には参加してほしいの。だからこれは結婚式前の、魔女の里で行う小さな結婚式よ」

「小さな結婚式……」

ジークが口の中で繰り返す。

たくさんお金があるわけではないし、時間だってない。そもそもなんの準備もできていない。明後日の昼前には里を出発しないといけないので、式とは名ばかりの本当に小さなものになるだろう。

それでも、セシリーが十五年間暮らしてきたところで、里のみんなに見守られながら結婚をしたい。他の誰でもないジークと、結ばれたいのだ。

「あ、準備はわたしに任せてね。みんなに手伝ってもらって、素敵な結婚式にするわ」

「それは、最高の一日になりそうだ」

ジークが微笑む。数年ぶりに彼の笑顔を見たような気がして、セシリーは泣きそうになりながら頷《うなず》いた。

横たわるジークの手をそっと取る。

剣だこのある、大きな手。人々を守るために戦ってきた、勇敢で優しい手を。

「ジークにはこの数日間、辛い思いばっかりさせちゃったけど……もう二度とあんな気持ちにはさせないから」

「それは、セシリーのせいじゃない。……俺も準備を手伝わなくてはな」

起き上がろうとするジークを、セシリーは押し留める。

「ねぇジーク。わたしのこと、好き?」

「ああ」

「大好き?」

「大好きだ」

「じゃあ、もう少し眠ってて。ゆっくり身体を休めてね、わたしのジーク」

本人は渋々という様子だったが、ジークは目を閉じるとすぐに寝息を立て始めた。

やはり、ひどく疲れていたのだろう。徹夜のあと、山中を歩き回ったのだから当然だ。

「……伝説の泉の水なんて、いらないわ」

夢の世界に戻っていったジークの手は、ぽかぽかと温かい。

セシリーはその手に頬擦りをする。

いつもセシリーを守ってくれる手。

力強く抱きしめてくれる手。

触れているだけで胸がいっぱいになっていく。込み上げてくる思いは、小さな囁きとなった。

「あなたがいてくれたら、それでいいの」

セシリーはしばらく、彼の傍《そば》で安らいでいた。

第七話　魔女の里での結婚式

A witch in love has drugged
an elite knight with a
love potion.

急遽《きゅうきょ》執り行われることになった結婚式の準備では、やはり有能すぎる雪花の宮所属の侍女・マリアが活躍してくれた。

「私にお任せくださいませ」と胸を叩《たた》いたマリアは、その言葉通り縦横無尽の活躍を見せた。

魔女の里の住人全員に送る招待状の準備と配達に始まり、里にひとつしかない礼拝堂の貸し切り予約をし、その飾りつけや式の進行内容をセシリーと打ち合わせて、引き菓子を手作りする。

そして彼女は人を使うのがうまかった。

というのも招待状には、結婚式を開催するに当たって各住人への協力要請も添えられていたのだ。

「お菓子を作るのを手伝ってほしいです。おすすめのレシピがありましたら教えてください」

「子どもたちみんなで、花畑に咲いているきれいな花を摘んできてください。花嫁が持つ花束に使います」

「薔薇《ばら》のコサージュを手作りするのがお上手だと聞きました。その腕をどうか貸してください」

などなど……。

なぜそんなことが可能だったかというと、集会所を飾りつけた際に、マリアは住人それぞれの特技や性格を把握していたのだという。

脱帽したセシリーだったが、もちろん新婦だって遊んでいる暇はない。

なんせ結婚式は二日足らずの準備期間を経て開催されるのだ。マリアと協力して礼拝堂の飾りやウェディングドレス、タキシードの準備に明け暮れた。

明日に結婚式を控えつつ、今日も夜更かしして準備に励もうと意気込んでいたのだが、マリアからは「早く寝て明日に備えてください」と叱られてしまった。

早朝に起きてからは、花びらを浮かべた湯に長時間浸かり、髪に香油を塗り込んで、肌を隅々まで磨いてとまた大忙しである。

礼拝堂の控え室でウェディングドレスを着る頃には、すでにセシリーはへとへとになっていたが、全身を包むのは心地よい疲労感でもあった。

「何から何までありがとうございます、マリアさん」

セシリーはもっと全体的にこぢんまりとした感じを想定していたのだが、マリアのおかげで、小さいながらも立派な式になりそうだった。

「いいえ。侍女をやっていて結婚式をプロデュースする機会なんてそうそうありませんから、やりがいがあって楽しかったです」

言葉通り、マリアは微笑んでいる。

今も彼女は最後の一仕事だと、着替えを終えたセシリーのメイクとヘアセットを担当してくれている。常日頃から他の侍女と共にシャルロッテの身の回りのことを担当しているマリアなので、手つきにはまったく不安なところがない。

「セシリー様、少し下を向いてください」

「はいっ」

ドレッサーの前に座ったセシリーは、大人しくマリアの指示通りにする。

狭い控え室には、先ほどまでシャルロッテも遊びに来ていた。

「いつかシャルロッテ様もこんな風に巣立っていくのだと思うと、感慨深いですね……」

「やだ、マリアったら。泣いてるの？」

「心配すぎて涙が出ました。そんな日は本当に来るんでしょうか」

「どういう意味よ！」

「そのままの意味ですね」

なんてやり取りをしてシャルロッテは去って行った。今頃は式の始まりをそわそわしながら待っていることだろう。

そうして静かになったと思われた控え室だが、次はセシリーの両親が遊びに来た。

「ダーリン、今日もかっこよくて素敵ね！」

「グレタ、君こそかわいくて美しくて最高だよ！」

ひしっと抱き合ったグレタとスウェルは、啄《ついば》むようにちゅっちゅしている。人目を憚《はばか》らずイチャついている。

セシリーは、ややうんざりした顔でそんな二人を鏡越しにちらりと見やる。

「わたしの結婚式なのに、どうして二人がラブラブしてるの？」

そう突っ込みつつ、「これよこれ」という気持ちもある。まさに実家に戻ってきたような安心感だ。

最近のスウェルはセシリーが帰ってきた喜びで娘ラブの状態が強かったが、そもそも妻ラブが強すぎる愛妻家なのだ。久方ぶりに、脇目も振らずイチャイチャする二人を見たような気がするセシリーだった。

ちなみにセシリーが年端もいかぬ子どもだった頃から、両親はこんな感じだった。

なんだか昔が懐かしく感じられる。まだ見ぬ白馬の王子様を夢見るばかりだった自分は、今や遠いのだった。本当の愛を知った今となっては……とセシリーは頬を赤くする。

「そういえばママ、わたしが子どもの頃に言ってたわよね」


――セシリー、愛のある結婚なんてこの世には存在しないわ！


あの一言は、おとぎ話に憧れる幼いセシリーの胸を穿《うが》ち、苦しめた。

初耳だったらしく、スウェルはちゅっちゅをやめて硬直している。

「えっ。グレタ、セシリーにそんなこと言ったの……？」

「言ったような気もするわね」

悪びれないグレタ。だがあの言葉がセシリーに与えた衝撃は計り知れない。

幼いセシリーは、仲睦まじい両親を見て育った。だからあのときも、『ママはパパに愛されているじゃない』というようなことを言い返したのだ。

だがグレタは動じずに、さらに強い口調でこう言ったはず。

――それは、あたくしがあの人に惚《ほ》れ薬を使ったからよ！

「ママがあんなこと言うから、過去のわたしはいろいろ拗《こじ》れたんだけど」

セシリーは魔女でありながら、病的なまでに惚れ薬を厭《いと》うようになった。悪役の証《あかし》である赤い目も嫌って、日々を過ごしていたのだ。

さすがに悪いと思う気持ちはあったのか、グレタが口元に手を当てる。

「もう、あたくしも嫌がらせのつもりじゃなかったのよ。……あの日、その、ちょっと酔ってたのよね」

何やら聞き捨てならない発言である。

「……え？　酔ってた？」

「飲みすぎちゃってたのよ。正しくは、こう言おうとしてたのよね」

グレタが遠い目をして言い直す。

「――セシリー、愛のある結婚なんてこの世には存在しないって思ってたけど、そんなことないわ！」

「……いやぜんぜん違うじゃない！」

「後半ちょっと略しちゃったのよ」

「ちょっとどころじゃないでしょ……」

意味合いがまったく逆になっている。頭を抱えそうになったセシリーだが、マリアに「まだ動いてはいけません」と窘《たしな》められて居住まいを正す。

マリアがセシリーの唇に色を乗せる間、セシリーは黙って二人の話を聞いているしかない。

「でも若い頃のあたくしは、愛なんて形のないものを信用してはいなかったのよ。ダーリンに惚れ薬を飲ませたのもそれが原因だし」

「ああ、懐かしい。そんなこともあったなぁ」

困惑が深まるばかりのセシリーを放置して、スウェルはほのぼのしている。

「若かりし頃のグレタったら、僕のことを恋敵《こいがたき》から奪ってやる！　この惚れ薬を喰《く》らえ！　なんて言って無理やり飲ませてきてね。ああ、あの頃のグレタもお転婆でチャーミングで、とってもかわいかったなぁ。今も美しくて素敵だけど」

（え？）

初耳すぎる情報に、セシリーはドン引きの顔をしてしまった。

（じゃあママは、その恋敵からパパを無理やり奪ったの……？）

「セシリー。言っておくけどそれは誤解よ。……というかダーリンも、昔の話はやめてちょうだい」

言葉にはしなかったが、表情は何よりも雄弁だったようでグレタが頬を膨らませている。そういう少女のような仕草も、なぜか不思議と似合う人だ。

「まぁ昔も何も、今でもグレタは二人きりになるとあの頃みたいに――」

「ダ・ァ・リ・ン？」

「は、はい。セシリーには内緒なんだよね。分かってます」

太い首を締め上げられて、スウェルが必死に頷《うなず》いている。本当に恥ずかしいのか、グレタの暴力性が増している。

「それでね、セシリー。そもそもグレタにとっての恋敵は、人じゃなかったんだよ」

「……え？　人じゃない？」

セシリーはごくりと唾を呑《の》み込む。マリアが口元に当てるおさえ紙を咥《くわ》えて、リップは仕上がりだ。

「パパはね、家で飼っていた犬……キャンディーのお世話をしていただけで、キャンディーを女性として意識していたわけじゃないから」

「い、犬⁉」

素っ頓狂な悲鳴を上げるセシリーの唇は、つやつやに輝いている。

「ママ、犬にやきもち焼いてパパに惚れ薬を飲ませたのっ？」

「恋愛に種族も何もないでしょ！」

言い返してくるグレタの顔は赤い。いつもは自信満々のグレタも、若い頃の見境なしだった自分を少なからず恥じているようだ。

頬を緩ませてスウェルが続ける。

「でも惚れ薬を飲む前から、ぼくは同じ村に住んでいる彼女のことが好きだったからね。時間を作ってはしょっちゅう会いに行ったんだよ。グレタってば、自分に冷たい態度を取っていた人相手にも作った薬を渡したりして。そういうところもかっこよくて尊敬してたな」

「んもうダーリン、美化しないでちょうだい。報酬はがっぽりもらってたじゃない」

「それは当然の対価じゃないか。それも子どもからはお金をもらわない、なんてきっぱり言ったりしてさ、グレタは本当にかっこよくてかわいいんだ」

「へぇえ……」

いつの間にかノロケに変わっているが、二人の若い頃の話は新鮮で、セシリーはドキドキしながら聞いていた。

「お支度がすべて終わりました、セシリー様」

「マリアさん、ありがとう！」

待ちわびていた言葉に、セシリーはドレッサーから立ち上がった。

マリアがトレーンの皺《しわ》を伸ばしてくれる。背筋を伸ばしたセシリーを見て、スウェルが感慨深そうに呟《つぶや》いた。

「ああ……きれいだよ、セシリー」

「ええ、今日に限ってはあたくしの負けね」

グレタが素直に認める。セシリーははにかみを返した。

「ありがとう、パパ、ママ」

マリアが丁寧な手つきで、ベールをグレタへと手渡す。

ウエディングベールは、グレタがスウェルと結婚する際に使ったものだ。少しだけレースにアレンジを加えて、マリアが最近の流行に合わせて仕立て直してくれている。

向かい合う母子を目にして、スウェルは早くも涙ぐんでいた。

間違いなく感動の場面であるが、そこでグレタが至極あっさりと言う。

「セシリー。こんなふんわりとしたベールだけじゃきっと、あなたを災いから守ることはできないわ」

「……それ、今言うこと？」

淡々と言うグレタに、前のめりになって屈んでいたセシリーは唇を尖《とが》らせる。この儀式にちょっと憧れを抱いていたというのに、台無しではないか。

グレタはふふっと悪戯《いたずら》っぽい笑みを漏らすと、大雑把な彼女にしては存外丁寧な手つきでウェディングベールを下ろしていった。

「だから、ジークくんに守ってもらいなさい。そしてセシリーも同じようにジークくんを守るのよ。夫婦っていうのは、そういうものだから」

「……うん」

「たくさん笑い合って、たくさん喧嘩《けんか》して、楽しい日々を送ってね。あたくしたちのかわいいセシリー」

「ありがとう、ママ」

メイクが落ちないように、セシリーは涙を堪《こら》えた。

そうしてベール越しに、二人に向かって笑いかける。

「じゃあ、行こう！」

両腕を両親と組んだセシリーは、笑顔で歩き出した。


――礼拝堂の扉が開く。


待ちくたびれた子どもたちはとっくに賛美歌を歌い出しているらしい。扉の外にまで漏れていたその明るい歌声に、セシリーは軽やかに笑う。

グレタの手からブーケを受け取り、白い絨毯《じゅうたん》の敷かれた通路を歩く。花の子の役割を与えられた子どもたちが、手にしたバスケットからピンク色の花びらを楽しそうに撒《ま》いている。

「セシリー、すっごくきれいよぉ。おめでとおお」

参列者の席からは、着飾ったシャルロッテがずびずび言いながら叫んでいる。隣にはアルフォンスの姿があった。司会進行を務めるマリアは、祭壇の傍で拍手をしている。

彼女たち以外にも、参列するのは顔見知りばかりだ。

「セシリー、お幸せに！」

「ブーケトスは必ず私に向かって投げてね！」

「ずるいわよっ、卑怯者《ひきょうもの》！　私に頼むわセシリー！」

「こっちよセシリー！　お願いよぉ！」

とにかく騒がしくて、誰も黙っていない。これではセシリーも顔を引き締めて黙ってなんていられず、声を大にして叫び返していた。

「みんな、今日はありがとう！」

セシリーは溌剌《はつらつ》とした笑みを浮かべて、花びらの海を泳ぐように歩いて行く。

——まだ婚約もしていないのに、今日、セシリーは結婚式を挙げる。

しかも式が終わったらすぐに山を下り、馬車に乗って王都への帰路につく予定だ。とにかく慌《あわ》ただしい式である。

こんなの、何から何まで常識的ではないのかもしれない。セシリーが憧れた、絵本の中のお姫様たちは、慌てふためきながら結婚したわけではないはずだ。

（でも、それでいいの。わたしとジークは）

始まりからして、常識とはほど遠い二人だったのだ。破天荒《はてんこう》な試みだって悪くない。

何年も、何十年も経ったときも、きっと笑顔で振り返れるだろう。あのときはおもしろかったね、なんて二人で声を弾ませて。

ベールを上げるのは、祭壇の傍で待つ新郎の役目だ。

高さのあるヒールを履いているので、いつもよりずっとジークの顔が近く感じる。タキシード姿のジークを前に、セシリーは歓声を呑み込んでいた。

（～～っ！　かっこい……！）

その場で悶《もだ》えそうになるが、どうにか我慢する。

オールバックの黒髪。切れ長の褐色の瞳。

よく鍛え上げられた身体は白いタキシードに包まれているが、目の前にするだけで筋肉の厚みが伝わってくる。

（かっこいい、かっこよすぎるわジーク！）

ベール越しではないジークはもう、刺激が強すぎてクラクラしてしまうセシリーだ。

「ふっ……ふぁあ」

唇を噛《か》み締めて思いとどまりたかったが、色が落ちてしまうから気をつけるようにとマリアから言われている。そのせいでセシリーは感動の吐息を漏らしてしまった。

だが、先ほどからジークは黙ったままだ。

彼に向かって、セシリーは小首を傾げた。

「ジーク？」

「……すまない、セシリー。きれいすぎて見惚《みと》れていたんだ」

心からの言葉だということは、紅潮している頬からして明らかだ。

飾らない褒め言葉が嬉《うれ》しくて、セシリーはその場でくるりと一回転してみせた。

「レースカーテンを使って、ドレスを手作りしてみたの。王都で流行《はや》っているようなドレスと比べちゃうと、貧相かもしれないけど……」

マリアも手伝ってくれたが、ドレスはセシリーが中心となって作った。リボンやフリルを付け足して、かわいらしいデザインに仕上げていった。

玉の肌が光るデコルテに、スカート丈は膝上くらい。これは慣れないドレスとヒールで転ばないためである。ヒールの足元では、健康的な足首に着けられた黄金のアンクレットが、照明の光を反射してきらめいている。

肩までの髪は、マリアがハーフアップに結ってくれた。

(王都での結婚式までに、もう少し髪も伸ばしたいな)

髪先を軽くいじるセシリーに、ジークがぶんぶんと首を振る。

「そんなことはない。本当にきれいだ」

ありがとう、とセシリーは微笑む。

その口元あたりをなんとか見つめていたジークだが、ぐっと唇を食いしばって明後日のほうを見る。

「ああ……ッ、どうすればいい、セシリー。胸が苦しい。これ以上君を見つめたら、幸せすぎて昇天してしまうかもしれない」

「もっと見て、ジーク。でもゼッタイに死なないでね」

言いながら、セシリーはジークの頬に手を添える。

「ジークが言ってくれるなら、わたし、もっときれいになるから」

「今だって、世界でいちばんきれいだ」

「ジークは、世界でいちばんかっこいいわ」

「……二人とも、そろそろいいかね?」

咳払《せき》いするマジョリカに、はいっ、とセシリーとジークは返事をした。そういえばお互いに夢中になって忘れていたが、式の真っ最中だったのだ。

里の子どもたちに勉強を教える先生であり、祭事を仕切る立場にあるマジョリカが、魔女の里唯一の牧師である。

老いた魔女は穏やかな声で、二人に誓約を求める。

「セシリー、ジーク。あなたたちは病めるときも健やかなるときも、富めるときも貧しいときも、これを愛し、敬い、慰め、助け、その命の限り、固く節操を守ることを誓いますか？」

「誓います」

声を揃《そろ》えて、二人は誓う。

二人の頭上に、色とりどりの花びらが舞い落ちる。温かな拍手に包まれながら、セシリーとジークは向き合った。

「全身全霊で幸せにするよ」

「わたしも、ジークを幸せにする」

ジークの逞《たくま》しい腕が、セシリーを抱き寄せる。

微笑みを交わしながら、二人は唇を重ねた。

◇◇◇

小さな花畑。

遊ぶ場所の限られている魔女の里では、子どもたちにとってこの場所は特別だった。

友達や、気になる子とこっそりと待ち合わせをする場所。咲き誇る花々は天に向かって美しく伸び、いつもそんな子どもたちを温かく見守ってくれていた。

「ここにいると思ってたわ」

後ろに立っているのはセシリーだと、分かっていたのだろう。

花畑の中に寝転んだケインは、振り返らずに小さな声で言う。

「ごめん。式に行けなくて」

「ううん、いいの」

責めるつもりはなかったので、セシリーはやんわりと首を横に振った。そうして、ケインの隣に腰を下ろす。

セシリーのことをどうにも思っていなかったとはいえ、ケインの立場では気まずいものがあるだろう。里のみんなは気にしないだろうが、式に出なかったのはジークの気持ちを慮《おもんばか》ってくれた結果なのかもしれない。

「出発まで、まだ時間はあるの？」

「えっと、あと数十分……かな」

とっくに私服に着替えているセシリーは苦笑した。荷造りは終えているので、一応問題はない。

ジークにはきちんとケインに会ってくると話してきたが、今頃やきもきしていることだろう。今回の里帰りでは、彼に心配をかけてばかりだった。

「セシリーは、忘れちゃっただろうけどさ」

ぽつぽつと、ケインが話し出す。

「十年前のあの日、僕が里を出る直前……僕たちは約束を交わしたんだよ。もしまた出会えたら、そのときは――僕のお願い事を聞いてほしい、って」

声色はいつになく穏やかだ。だからセシリーも、落ち着いて言葉を返せた。

「そうそう。あの頃、ケインはわたしのことをセシリーちゃんって呼んでたわよね」

「……思い出したの？」

ケインが身動《みじろ》いだ。こちらを向いた気配がする。

セシリーは思わず破顔する。

「だってジークが、初めてわたしを『セシリー』って呼び捨てにした特別な男の人なんだもの。パパを除くと、だけどね！」

あの瞬間、セシリーがどれほどときめいたか、今もジークは知る由もないのだろう。

ケインが身体を起こしたので、少し遅れてセシリーも立ち上がった。

ケインの顔は強張《こわば》っている。

「願い事、してもいいかな」

「叶《かな》えられる内容なら、聞くわ」

セシリーにとって、ケインは友人だ。それこそ良識的な願いであれば、いくらでも頷ける。そういう関係の相手だった。

ケインは目を泳がせている。すぅ、はぁ、と何度も深く呼吸をしている。彼なりに緊張しているのだろう。

セシリーは何も言わず、大人しくそのときを待った。

風が吹いて、花びらが辺りを舞う。

よく似た景色を、十年前にも見た。

きれいだな、と見惚れるセシリーの目の前で、赤い目を糸のように細めて笑ったケインが、たったひとつの願い事を告げる。

「幸せになってね、セシリーちゃん」

セシリーは、しっかりと頷いた。

願われるまでもないことだ。幸せにすると、誓ってくれた男の人がいる。

だけど、十年越しにそんなことを願ってくれたケインの気持ちが嬉しかったから。

セシリーは蕩《とろ》けそうな笑顔を浮かべて、答えた。数時間前に唱えた誓いの言葉と同じように。

「うん。ジークと一緒に、幸せになるわ」

◇◇◇

魔女の里には娯楽施設が少ないけれど、実はそれなりにいろんな店が揃っている。衣装屋、雑貨屋、食堂、飲み屋、花屋、美容院などなど。

その日、飲み屋は珍しく昼間から開いていた。ただし席はひとつしか埋まっていない。

手酌でごくごくと強い酒を飲み干す青年に、声をかける者がいた。

「やさぐれてるねぇ」

「飲まなきゃやってられないでしょ、こんなの」

ケッ、と吐き捨てたケインだったが、赤ら顔で振り返ってぎょっとする。

「ス、スウェルおじさん」

「やぁ」

ちょっかいをかけに来たのは、なんとスウェルだったのだ。

もしや自分は殺されるのではなかろうか、とケインは身構えた。この数日間で、いろいろとやらかした自覚はある。ジークを挑発するためとはいえ、宴の場にやって来たスウェルに結婚の話を持ち出して気絶させた件などは言い訳もできない。

だがスウェルはケインの息の根を止めに来たわけではないようだった。

「隣、いいかい？」

「……は、はい」

ケインは慎重に頷く。

スウェルが礼を口にし、隣の椅子に座った。

ばき、と椅子の脚が一本折れたので、店主が交換しに来てくれた。

「いいかい？」

「あ、はい」

ケインはスウェルのグラスにワインを注ぐ。ボトルはすでに二本が空になっている。

一口含んでから、スウェルが話し出した。

「見送り、来なかったね」

スウェルが言っているのは、セシリーの見送りのことだろう。

「……まぁ、はい」

昼前、セシリーたちは里を出て行った。今頃は麓の村に着き、待たせていたという馬車に乗り換えているだろう。

ケインがこうして飲んだくれている間も、セシリーはどんどん遠ざかっていく。ケインの手の届かないところへと。

「僕が顔を見せたら、苛立つだろう人間が何人もいますから。好かれるような真似をしてないので当然ですけどね」

世の中、セシリーのような聖人ばかりではないのだ。

簡単に許されはしないだろうし、それだけのことをしたと分かってもいる。出立《しゅったつ》のときまで邪魔をして、彼らの感情をかき乱すほどケインの意地は悪くない。

「セシリーちゃんは、王都に?」

意味のない確認にも、スウェルは律儀に頷きを返す。

「うん、戻ったよ。また次の結婚式のときに呼ぶから、って」

魔女の里の位置は秘されているので、手紙をやり取りする手段がない。多くの魔女は使い魔――

主に猫や鳥――を使って連絡を取り合うのだが、魔力の扱いに不慣れなセシリーでは難しいだろう。

「ケインくんは、これからどうするの？」

「まだ何も決めてません」

十年間の修行は終えたが、まだまだ未熟な部分はある。大きな里に戻り、再び修行に明け暮れるという手もあるし、あるいは一般的な魔女たちのように、世界を巡る旅に出てもいいだろう。

「この里に留まってもいいんだよ？　ぼくとグレタにとって、君は息子も同然なんだからね」

「……考えておきます」

返事の声は鈍かったが、スウェルは「分かった」と優しく頷いた。

「そういえば、ちょっとだけ聞いたよ。セシリーのことそんなに好きじゃなかったんだって？」

「…………」

ケインは押し黙った。

セシリーが自ら話したとは思えない。おそらくあの会話を、名探偵を名乗る少女あたりが聞いていたのだろう。いちいちかんに障る真似をしてくれる。

むかついたが、もう文句を言う機会がない。今頃ざまぁみろと馬車からケインに舌を出していることだろう。

「そうですよ。僕は最初から、セシリーちゃんのことは友達としか思ってませんでした。惚れ薬の件は、単にあのいけ好かない男をからかってやろうと思っただけですし」

「がんばったね、ケインくん」

唐突な労《ねぎら》いの言葉の意味が分からず、ケインは黙り込む。

そんなケインの、心の柔い部分に――スウェルの言葉が入ってきた。

「あの子の心に引っ掛かりを残さないために、がんばって嘘《うそ》を吐《つ》いてくれたんだね。ありがとう」

「……っ違いますよ、そんなの」

ケインは思わずテーブルの表面を叩いた。

「失恋したって認めたくなかっただけです、僕を過大評価しないでください。そんなの不愉快なだけだ」

「君がそう言うなら、そういうことにしようか」

スウェルは調子を崩さない。勘づいているところもあるだろうに、それ以上、何かを突きつけたりもしない。

そのせいでケインもそれ以上、言葉を重ねられなかった。

……否、本当は重ねたくなかった。秘め続けてきた恋心を否定して、なかったことにする言葉なんて。

十年前に交わした約束は、ケインにとって格別なものだった。あのやり取りだけで、十年間も修行をがんばる気になって、いつかのロマンチックな再会を夢見てしまうほどに。

けれどセシリーは、そんなことはほとんど忘れてしまっていたから。

だからケインは、寂しかった。

セシリーにとってそうじゃなかったことが、本当に、涙が出るほど寂しくて、裏切られたような気持ちに陥ってしまった。

たとえ詳細を忘れてしまったとしても、セシリーがケインを友と呼んでくれたことは変わらなかったのに。

「もしも僕が十年前、セシリーちゃんに結婚の申し出をしていたら……もしも彼女の名前を、呼び捨てにしていたら……未来は、違っていたでしょうか？　僕は彼女の隣に、いられたんでしょうか」

詮無《せんな》きことを言っている自覚はあった。スウェルはたぷたぷとした顎の下に、両手を添えて言う。

「うーん、どうだろうねぇ。ぼくにひとつ言えるのは、彼……ジークくんは、いい男だってことかな」

しみじみとした口調でそう言われ、ケインは眉根《まゆね》を寄せた。

「そもそもスウェルおじさんは、二人の結婚に反対していたのでは？」

スウェルが結婚を認めないと宣言し、ジークを追い返した件についてはケインも聞いている。そんなスウェルがジークを褒めるような発言をしたのが、ケインには不審に思えた。

自覚はあるのか、スウェルは苦笑いをしている。

「あはは。結婚式を挙げるって改めて伝えにきたセシリーも、ぼくがあっさり許したからきょとんとしてたよ」

「何か理由があるんですか？」

「それが昨日、怪我を負った身体を引きずってジークくんが家までやって来てね。セシリーと結婚したいです、お願いします、って玄関前で何度も頭を下げるんだ」

目を瞠《みは》るケインに、スウェルは続ける。

「もう、ぼくの許しなんかなくたっていいだろう？　勝手にセシリーを連れて行っちゃえばいいだろう？　って、ぼくは意地悪なことを言ったんだよ。でもジークくんは、『セシリーを愛し育ててきたスウェルさんにこそ、祝福してほしいんです』……って。あんなまっすぐな目で見られたら、折れないいなんてぼくには無理だよ」

スウェルは思い出し笑いをする。

「しかも最後には、『この件はどうかセシリーにはご内密にお願いします』なんてばつが悪そうに言うんだよ。内緒で抜け出してきたんだってさ。……彼とセシリーの運命力の間に割って入るには、十年じゃ足りないかもしれないね」

運命力ってなんだろうと頭の上に疑問符を浮かべるケインだったが、なんとなく、スウェルの言葉の意味は分かる気がした。

十年前の口約束なんかじゃ、きっと弱すぎる。あの荒々しく逞《たくま》しい騎士ならばそんなものを簡単に打ち破り、セシリーの手を取ってしまうのかもしれない。

「――セシリーは、ぼくの知らないところでどんどん大人になっていくんだね。寂しいけど、でも、それが嬉しくもあるんだよ」

スウェルの調子は変わらなかったから、ケインも強がりではない本音を口にすることができた。

「僕も、置いていかれたような気がします。十年間で、セシリーちゃんがあんなにきれいになるなんて思わなかったから」

「うん。一年前より、セシリーはずっときれいになった。……ジークくんと出逢《であ》ったから、なんだろうね」

たった一年、されど一年。

十五歳になった魔女には、二年の間、必ず世界を巡る旅をさせよ。厳しい風習だと思って反対したスウェルだが、その風習がセシリーをより美しい女性へと変えたのだ。

いつもスウェルのあとを追いかけて、無邪気に笑っていた小さなセシリーは、もうどこにもいない。

彼女はとっくに、かけがえのない人を見つけていた。スウェルの手元から旅立っていたのだ。

「悔しいですね」

「……悔しいねぇ」

相槌《あいづち》を打つスウェルの声が震えている。

彼のほうを見られないまま、ケインは手元のグラスの中身をぐびっと飲み干す。

濡《ぬ》れた口元を力任せに拭いながら、ギラつく目で言う。

「でもセシリーちゃんが王都で結婚式を挙げるときは、せめて出席できるようにします。そうじゃないと格好がつかない。というか、僕のプライドが許しませんから」

「思いっきり無理してるね、ケインくん」

ははは、とスウェルは笑う。

「セシリーもよく泣いたけど、幼い君はもっと泣き虫だったよね。おねしょするたびに泣いて、ぼくにどうしたらいいですかって相談に来て」

「……っうるさいですよ」

今もケインの目尻はにじんでいる。スウェルにはバレバレだった。

というのもスウェルのほうもとっくに大号泣していたのだ。ケインよりよっぽど泣いているので、床が水溜《みずた》まりのようになっているくらいだ。

「ほら、飲もう。今夜は飲もう。ぐびぐび飲もう」

「飲みます！」

「マスター、お店でいちばん強い酒持ってきて！　ボトルじゃない、樽《たる》だよ樽！」

「樽ごと飲み干します！」

赤ら顔で叫ぶスウェルとケインは肩を組む。店主は肩を竦《すく》めながら、言われた通り樽酒を運んでやっている。

「辛いことは飲んで忘れるに限る！」

喚《わめ》くケインに、スウェルは手を叩いて喜ぶ。

「いいね、いい飲みっぷりだねケインくん。ぼくもしばらくぶりに飲んじゃうぞぉ」

男二人。

やけ酒の席は、絶好調に盛り上がっている。それこそ、涙に湿る暇もないくらいに。

エピローグ　これからも二人は加速する

A witch in love has drugged
an elite knight with a
love potion.

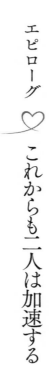

帰りの馬車の中である。

シャルロッテたちが生温かく気遣ってくれて、セシリーは行きと異なりジークと二人きりで馬車に乗っていた。

男性恐怖症のシャルロッテは、アルフォンスと同じ馬車で耐えられるのだろうかと不安に思うものの、セシリーもジークとしっかり話す機会はほしいと思っていたのでありがたい。

（ジーク、どうしたのかしら？）

馬車に乗ってから、ジークは一言も発していない。

正面に座る彼は、静かに窓の外を見つめている。整った横顔をちらりと一瞥《いちべつ》してから、セシリーは嘆息する。

スウェルの説得が困難になるだろう、ということは最初から予想がついていた。だが、出発するときはこんな事件だらけの里帰りになるとは想像もしていなかった。

（わたしが、惚《ほ》れ薬に操られるなんて）

自分がそれをジークに飲ませようとした過去――はこの際、棚に上げておいて、セシリーは苛立っていた。

（わたしのジークへの想いが、薬に負けるなんてサイアクだわ！）

ぎりり、と唇を強く噛《か》む。自分で自分が許せないセシリーだ。

ケインの惚れ薬には最終的に打ち勝ったものの、大好きなジークのことを、セシリーが不甲斐《ふがい》ないせいで傷つけてしまった。最悪を通り越して絶望である。

しかしジークは、そんなセシリーを見捨てたりしなかった。それどころか、ケインに解毒薬を作ってほしいと正面から頼みに来たり、伝説の泉を探そうとしたりと、セシリーの心を取り戻すためにたくさんの無茶を重ねたのだ。

そうして無理をした結果、寝込んでしまったジークだったが、セシリーは判断能力の下がったジークを誘導してあれよあれよという間に結婚式に持ち込んだ。

自分でもとんでもないことをしでかしてしまった、と青くなったり赤くなったりしたセシリーだが、それには理由がある。

（だって、ジークと結婚したかったんだもん！）

心の中で、セシリーは必死に言い訳を重ねる。

（今すぐに結婚しないと耐えられそうになかったんだもん！）

愛を取り戻したセシリーには、一分一秒も我慢できなかったのだ。

ジークのものになりたい。ジークを手に入れたい。惚れ薬が切れた反動だったのか、いっそ浅ましいほどの激しい欲望はぐるぐると渦巻き、セシリーを呑《の》み込みかけていた。

王都に戻ってからのんびりと時間をかけて結婚の支度をするなんて、無理だ。待っていられない。だからセシリーは魔女の里での結婚式を、急遽《きゅうきょ》敢行することにしたのだった。

スウェルの説得については、策も何もなしに挑んだのだったが、なぜか彼はあっさりと許可をくれた。最初の拒絶ぶりからすると異様だったが、何か父にも思うことがあったのかもしれないと、セシリーはその変化を歓迎したのだった。

――そうして、みなに祝福されながら結婚した今となっては、とびきりの幸せで満たされたことは言うまでもない。

セシリーが幸福感に浸っていると、それまで黙っていたジークが身動《みじろ》ぎした。

ぴくっ、とセシリーは肩を小さく跳ね上げる。ジークは申し訳なさそうに言った。

「すまない、セシリー。先ほどから黙ったままで」

「う、ううん」

セシリーだって、黙り込んでいたのは同じである。

少しだけ迷ってから、ジークはその理由を口にした。

「……なぜか、少し緊張していてな」

「緊張？」

「おかしいだろう。結婚式も挙げたのに」

「……それなら、何もおかしくないわ」

だって緊張しているのは、セシリーも同じだ。

（ジークはいつも、言葉にしてくれるから）

素直になる薬の効果は、とっくに切れているというのに。

ジークはいつもセシリーに、本音で向かい合ってくれる。そんな一途《いちず》さが愛《いと》おしいからこそ、セシリーも彼に本当のことを伝えたかった。

「わたしも、実はすごく緊張してるの」

「セシリーもか。同じだな」

セシリーの緊張にも、やはり理由がある。

勇気を出して、セシリーは横に置いていた鞄《かばん》を開けた。その中に、とあるものが用意してある。

「あのね、ジーク。これなんだけど」

手渡したのは、折りたたんだハンカチだ。

「ラッピングもしてなくて、ごめんなさい」

「これは……」

ジークが笑顔を見せる。その笑みがどれほどセシリーの胸を熱くさせるかなんて、彼はちっとも自覚していないのだろうけど。

「俺にくれるのか？　嬉《うれ》しい」

「くれるっていうか、その……」

セシリーは指先をもじもじさせる。何度か躊躇《ためら》った末に、とうとう白状した。

「違うの。これ、もともとジークのものなの。ずっと前に返しそびれたままのハンカチなんだけど……憶えてる？」

目をしばたたかせたジークが、なるほどと言うように頷《うなず》く。

「忘れるわけがないだろう。これは——俺たちが初めて出会ったときの、あのハンカチなんだな？」

「うん、そう」

セシリーは目を細めた。思い返してみると、今ではずいぶんと昔のことに思える。

数か月前、王都での出来事だ。

雑貨店にセシリーが寄ったとき、店の商品がなくなるという事件があった。魔女だから、あの娘が盗んだのではないか。悪さを働いたのではないか。そう指を差され泣きそうになっていたセシリーを、ジークは颯爽《さっそう》と救い出してくれたのだ。

お礼を伝えたかったのに、何も言えず泣いてしまったセシリーに、ジークはハンカチを差し出してくれた。『無理に涙を止める必要はない』と。

あのとき、セシリーは恋に落ちたのだ。

おとぎ話に出てくるどんな王子様よりもかっこよくて優しい、精悍《せいかん》な騎士に。

(ジークのおかげで、毎日が魔法みたいに色づいていった)

いろいろとすれ違ったり、空回りもしたけれど、ジークとの出会いが引っ込み思案なセシリーを外の世界へと導いてくれた。

早く一年なんて過ぎ去ってしまえ、里に帰りたい、と閉じこもって泣いていたはぐれ魔女のセシリーは、もうどこにもいない。

たくさんの素敵な人と出会った。たくさん笑い合った。セシリーにとって、初対面のジークが貸してくれたハンカチは、そんな日々の象徴でもあったのだ。

「勝手に、お守りみたいに思って返せないままで……でも、このままじゃいけないなと思って刺繍《ししゅう》をしてみたの。あんまり上手じゃないから、いやかもしれないけど」

「いやなわけがないだろう」

自信なさげに萎《しぼ》むセシリーの声に被せるように、ジークが言い放つ。

「嬉しいよ、セシリー。馬車の中で小躍りしたいくらいだ」

ハンカチを愛おしげに撫《な》でて、ジークが頬を緩める。

「本当に嬉しい。死ぬまで、死んでも大切にする」

「いやよ。死なないでね、ジーク」

「ああ。俺はずっとセシリーの傍《そば》にいる。ずっと一緒だ」

二人は馬車の中で熱く見つめ合うが、数秒後にセシリーはふいと視線を逸《そ》らした。

「でも、これじゃお詫《わ》びにならないよね」

「……え？」

「わたし、一時的にとはいえ他の人が好きだと錯覚してたんだから。他の人が好きだと。ジークじゃなくて他の人のことが……」

わざと蒸し返すようなことを言うセシリーに、ジークは形のいい眉をひそめた。

「ジーク、こんなの、わたしに怒って当然だよね。というか、本当にいやだったよね？　わたし、他の人のことが好きだって勘違いしてたんだもん」

「……セシリー。正直に言っていいか？」

「うん。言って」

セシリーは姿勢を正した。セシリーにはそれを聞く義務があるのだ。

「ケインを殴りつけて、無理やりでもいいからセシリーを奪いたいと思っていたよ。ずっと」

小さな声でジークは続ける。

「自分の中に、あんな燃え盛るような嫉妬心があるなんて知らなかった」

「ジーク……」

そうだった、とセシリーは思う。

そもそもジークはカゼアニア王国を守護する聖空騎士団長――超スーパーエリートなのだ。

ジークには、穏やかでない手段を選ぶという方法もあった。魔力に優れているケインではあるが、細身の彼は腕力ではジークに敵わないだろう。

「結局、セシリーには不甲斐ないところばかり見せてしまったな」

「そんなことないわ、ジーク」

苦く笑うジークだったが、セシリーは首を横に振る。

そうして、胸の前で拳を構えた。

「ジークを不甲斐ないなんて言う人がいたら、わたしがパンチをお見舞いしてやるから！」

おかしそうに、ジークが笑う。

「パンチしてくれるのか」

「ええ！　往復パンチよ！」

だって、とセシリーは思う。

集会所では一度剣を抜いたものの、それ以降のジークは暴力的な手段に訴えたりはしなかった。

彼が耐えたのは、セシリーを泣かせたくないという気持ちがあったからだろう。セシリーにとって、ケインは大切な友達だから。

だからこそ集会所を出た彼はひとりで剣を振り続け、疲労しきって夜明けを迎えることで、なんとか自制していたのだ。

それに気づいたとき、セシリーの心の深い部分が温かくなっていく。

(ジークは、本当にわたしのことを愛してくれてる……)

二人の抱える気持ちは、もはや恋ではない。相手の幸せを願い、相手が大切に思う相手をも、一緒に大切にする。それこそきっと、愛と呼ぶべき感情だ。

——だからこそ。

あえて、セシリーは想像した。ここぞとばかりに妄想した。

ケインを殴りつけ、セシリーを奪ったジークが、拒絶する暇《いとま》も与えず激しく口づけてきたりなんかして、『俺のことを思い出すまで、離さない』なんて言い出してしまったときは——。

「……でも、そんな乱暴なジークも、ちょっと見てみたかったかも」

セシリーは頬を真っ赤にして、ぼそりと呟《つぶや》いた。

だいぶ、破廉恥なことを言ってしまった自覚はある。ジークががばりと音が出るほどの速度で顔を上げたのにも照れてしまう。

「二言はないか、セシリー」

「な、な、ないわ!」

きゃっ、とセシリーは頬を赤くした。

騎士団内では堅物扱いされるジークだが、ノリはいい。セシリーが何を期待しているのか、よく分かっている。

おもむろに足を組み直すと、彼は威圧感のある瞳でセシリーを見据えてくる。それだけでセシリーの胸は大きく高鳴った。

「俺の愛は加速するばかりなのに、君は他の男と楽しく過ごしていた。許せるはずがないよな、こんなことは」

潤んだ瞳で、セシリーはジークを見つめる。

「……わたしに、お仕置きするの？」

「お仕置きしてほしそうな顔で言うんだから、悪い子だ」

ジークには、なんでもお見通しのようだ。

そんな彼に顎を摑《つか》まれる前に、セシリーは動いていた。

腰を浮かせて、身を乗り出す。

――二人の歯と歯が、がちっと当たる。

ちょっぴり痛いが、初めてにしてはまぁ上出来ではなかろうかと、セシリーは自分に甘めの採点を下した。

「ねぇジーク。覚悟してね」

驚いて目を丸くしているジークに、してやったりとセシリーは笑いかける。

「わたしの愛も、もう一秒だって止まらないわ」

御者が空気を読んで、馬車の速度は、行きよりもずっとゆっくりになっていく。
王都に到着するまでには、まだまだ長い時間がかかるだろう。

番外編1

赤毛のはぐれ魔女

A witch in love has drugged
an elite knight with a
love potion.

――スウェルの住む村には、魔女が住んでいる。

とある一家の長男として生まれたスウェルの家は、それなりに裕福だった。木材を扱っていて、近くの町や村にもよく運ぶよう依頼が入った。家には使用人がいて、大きな犬を飼っていた。

その日、十歳のスウェルはデザートのケーキを食べていた。ケーキだけでなく、マドレーヌやクッキーも山のように皿に積まれている。

スウェルが子どもながらに貫禄《かんろく》ある体型をしているのは、三度の食事よりおやつが大好きだからだ。無論、言うまでもなく食事だって大好きである。

ぱくぱくと甘い菓子を頬張るスウェル。広い庭では茶色い長毛をなびかせてキャンディーが駆け回っている。お腹いっぱいのときに考えたにもかかわらず、飼い犬にはお菓子の名前をつけてしまった。

バウッ、と大きな声でキャンディーが吠《ほ》える。

スウェルはびっくりした。番犬であるキャンディーはよく躾《しつ》けられていて、不審者を見つけたときしか吠えない。

慌《あわ》てて目を向けると、通りの向こうを歩く小さな人影があった。

「あれは……」

残りのマドレーヌを咀嚼《そしゃく》し終えたスウェルは目を細める。

キャンディーに吠え立てられて、早足で歩いている少女の姿があった。

腰を隠すほど長い赤髪は、梳《くしけず》ったことなど一度もないようにぐしゃぐしゃと鳥の巣のように乱れている。

汚れた髪の合間から覗《のぞ》く、ギラギラと光る赤い瞳は野性的で危なっかしい。髪が長いので目元くらいしかよく見えないが、痩せ細った少女はキャンディーに怯《おび》えているようだった。

「キャンディー、やめて。吠えちゃだめだ」

飼い主であるスウェルが声をかければ、キャンディーはクゥンと鳴いて戻ってくる。

甘えてくる大型犬の頭を撫《な》でてやりながら、スウェルはまた視線を戻したが、その頃には少女の姿は見えなくなっていた。

……いつからだっただろう。ときどき、彼女のことを見かけるようになった。

気になって視線を送っていると、耐えかねたように家政婦の女が口を開いた。

「まったく、汚らしくていやですね。坊ちゃまは、くれぐれもあの赤髪の娘には近づいてはいけませんよ」

「どうして？」

「あの娘は魔女ですから」

魔女といえば、おとぎ話に出てくる存在だ。想い合う王子と姫の仲を壊そうとする、悪しき存在。

だがひとりきり裸足で歩いていた少女は、悪い魔女には見えなかった。

「あの娘は、村外れのあばら屋に住み着きました。様子を見に行った村人たちによると、あのあたりは毎日ひどい悪臭が立ち籠《こ》めるそうです。魔女はきっと、何かおかしな薬でも調合しているのですよ。ああ、おそろしい」

「ふぅん……そうなんだ」

スウェルは理解力のある子の振りをした。家政婦は満足そうにしていた。

が、これは家政婦の手抜かりだった。そんなことを言われたら、子どもはいっそう興味が湧くものなのだ。

ある日、スウェルは家をこっそりと抜け出した。その日の勉強は終えていたし、家の手伝いも済んでいる。両親にバレても文句は言われないだろうという算段だった。

村外れに向かう最中、風に乗って異様なにおいが運ばれてきた。

「……これ、薬のにおいだ」

くんくん、とスウェルは大きな鼻を動かす。

悪臭などと、ひどいことを言う人もいるものだ。いや、悪臭には違いないかもしれない。でもスウェルはいつだって鼻が詰まっているので、そんなにすさまじいにおいには感じないのである。

家の前にはすぐに着いた。家とは名ばかりの粗末な小屋だ。

スウェルは息を呑《の》み、ドアをノックした。

家の奥のほうから、ばたばたと誰かが駆けてくる音がした。

立て付けの悪そうな、ほとんど板同然のドアががらりと開く。

布と布の切れ端をつないで作ったような服を着た少女は、スウェルを見るなり目を見開いた。

「……お前」

魔女の少女は、口調とは裏腹にかわいらしい声をしていた。

どうやら、スウェルとそう年齢は離れていないようだ。じろじろと見られつつ、スウェルは人知れずドキドキしていた。こんなに彼女に近づいたのは、初めてのことであったから。

「木材屋の肥えたガキか。ここになんの用だ」

どうやら、彼女は自分のことを知っているらしい。認識されていたのが嬉《うれ》しくて、スウェルの頬は自然と熱くなった。

「こ、こんにちは」

挨拶をするものの、彼女は不愉快そうに顔をしかめている。

「薬の依頼か？」

「え？　依頼って？」

ぴしゃん、とドアが閉められた。

最初の会話はそれで終わりだった。


次の日も、スウェルは村外れのあばら屋に行った。

昨日のように、娘は家の中にはいなかった。森の近くでしゃがみ込んでいる。

「何やってるの？」

スウェルの足音は大きい。接近には気がついていたようで、彼女は深々と溜《た》め息を吐《つ》いてその場を立ち去ろうとした。

「君、名前はなんていうの？　ぼくはスウェルっていうんだけど」

またも無視されたが、スウェルは気にしなかった。もっと彼女と話がしてみたかった。あのかわいい声を聞いてみたかった。


やはりその次の日も、また次の日も、スウェルはあばら屋に向かった。

素っ気なく追い返されたり、箒《ほうき》を持って追い回されたりしたけれど、それでも諦められなかった。彼女と話がしてみたかったのだ。

その日は、道ばたに生えた薬草をぶちぶちと抜いている少女を見つけて話しかけた。彼女はいつも、あばら屋に残された竈《かまど》と鍋を使って薬を調合しているのだ。

「どうして君は、ここに住んでるの？」

たくさんの質問を繰り出す中、その問いだけに彼女は即座に反応を返した。殺意のにじむ目でスウェルを睨《にら》んできたのだ。

「……いちゃ悪いか。他の村人たちと同じで、お前もアタシを追い出そうってか？」

彼女のまとう空気が、一秒前とは段違いにひりついている。スウェルの胸をいっぱいにしたのは、返答があった喜びではなく罪悪感だった。

「違うよっ。だって魔女は、魔女の里と呼ばれる集落に住むことが多いって聞いたから。でも、いやな気持ちにさせてごめんよ」

彼女のことが知りたいという気持ちが先走りしたせいで、うまく訊《き》けなかったのはスウェルの落ち度だった。

平謝りするスウェルに、毒気を抜かれたらしい。その日の彼女は、問いに答えをくれた。

「アタシの母親は、事故で亡くなったんだ」

それは、裕福な家で不自由なく育てられたスウェルが触れたことのない、苦痛にまみれたひとりの少女の現実だった。

「父親は知らない。名前も、顔も。孕《はら》んだ母を捨てて、どこかに逃げたんだ。母はひとりでアタシを産んで、育てたけど……頼れる人なんて誰もいなかった。母が死んだとき村を追い出されたから、この村まで死にかけながら歩いてきたんだ。ここに住んでる理由は、それだけ」

自分の話なのに、あくまで平坦《へいたん》な口調で少女は語ってみせた。

「──おい、何泣いてんだよ。気色悪いな」

気味悪そうに指摘され、スウェルはあふれる涙を手の甲で拭った。鼻水もずびずびと垂れている。

「ぼくが、君のお母さんになれたら良かったのに」

彼女は呆気《あっけ》に取られた顔をした。

「……アンタみたいなケツの青いガキが、アタシの母親？　気持ち悪い冗談はやめろ」

「ぼく、本気だよ。君はとっても寂しそうだから」

「……同情か？　それなら余計なお世話──」

「違うよ。君はとってもきれいな人だから」

初めて見たときから、目を奪われていた。

魔女が魔力という特別な力を持つのは、きっと本当なのだ。スウェルはあっという間に魅了されて、どこにいても彼女の姿を探すようになってしまったから。

「笑ったらもっときれいだろうなって、そう思っただけなんだ。ぼくがお母さんだったら、君を笑わせてあげられたかもしれないのにな」

「……アタシが、きれい？」

当たり前のことを言っただけなのに、なぜだか彼女はとても驚いたようだった。

スウェルはあふれ出る涙を拭いながら、こくっと頷《うなず》く。

「うん。とてもきれいだよ。情熱的な赤い髪も、爛々《らんらん》としている赤い瞳も。ひとりで立ち続けようとする、その強さだって」

言いながら、スウェルはあれ？　と首を傾げる。

髪と目の色だけではない。いつの間にか彼女の頬や耳が真っ赤になっていたのだ。

我に返ったように目を見開いた彼女は、大慌てで後ろを向いてしまった。

「ばかじゃねぇの。恥ずかしいこと、真顔で言いやがって」

「恥ずかしくないよ。本気で言ってるもん」

「もん、じゃねぇ！」

「あたっ」

胸を張るスウェルの頭を、飛び掛かってきた彼女がばしんと叩《たた》いた。

ますます泣くスウェルに向かって、彼女がぶっきらぼうに言い放つ。

「グレタだ」

「え？」

「アタシの名前だよ、ばーか！」

べっ、と舌を出したグレタが家の中に引っ込んでしまう。

ぴしゃん！　と閉まるドアの音を聞きながら、スウェルは喜びを噛《か》み締めた。

「……グレタ！」

名前まで、彼女はとってもかわいかった。

その日は興奮して、何度もグレタの名前を呼ぶ練習をした。ベッドに入ってもいつまでも寝つけなかった。

◇◇◇

二人の交流は続いた。スウェルはどんな日も時間を作ってグレタに会いに行った。

グレタは以前のように、問答無用でスウェルを追い返すことはなくなった。気分によってはそういう日もあったが、そんなときも一言「今日は消えろ」と添えてくれるようになった。これは大きな進歩である。

だがスウェルには心配事があった。

「グレタ、痩せすぎだよ。心配だ」

「アンタに比べりゃ、誰だって痩せてるだろうよ」

ケッ、と面倒そうに吐き捨てるグレタ。

スウェルと同じ年齢の子どもたちに比べて、グレタは痩せぎすな身体をしていた。毎日まともな食事をとれていないのだから、当たり前ではあったが。

グレタは魔女として薬を調合して生計を立てている、らしい。らしいというのは、彼女の薬が売れているところを、スウェルは見たことがないためだ。

聞いたところによると、人の目のない夜更けになると、一部の村人がこっそりとあばら屋を訪ねに来るらしい。依頼人が誰なのかは、秘匿すべきことだからと教えてくれなかった。グレタは子どもなのに、大人よりもちゃんとしている。

だがそんな誰かから与えられる報酬だけでは、子どもひとりでもお腹いっぱい食べるのは難しいようだった。そもそも村人の多くは、魔女であるグレタを差別して物を売ってくれなかったり、適正価格で販売してくれなかったりすることがあった。

グレタはしょっちゅうほとんど具のないスープや、そこらに生えている野草をむしって食いつないでいる。このままでは冬を越せないかもしれないと、スウェルは気が気でなかった。

そこでスウェルは、とある方法を思いついた。自分がグレタに食べ物を差し入れようと考えたのだ。

その日は初めて、それを持参していた。

「そうだよね。でね、これなんだけど、良かったら食べて」

「施しはいらねえ」

素気なく断られたスウェルはもじもじした。

「施しっていうか、ぼくが作ったクッキー。グレタに食べてほしくて」

はんっ、とグレタが笑う。

「手作りクッキー？　いいでちゅね、金持ちの家の子は。高尚な趣味をお持ちのこって」

「それが、初めて作ったクッキーなんだ。グレタに食べてほしくて、ママに作り方を教わった。だから、あの、食べてくれたら本当に嬉しい！」

真っ赤っかになりながら伝えるスウェルに、グレタは唖然《あぜん》としていた。

震える手で差し出したバスケットを、受け取ってくれる。ずっしりとした重みに、グレタは呆《あき》れたように呟《つぶや》いた。

「量、多すぎるだろ」

「ごめん。ぼくはいつも、これくらい食べちゃうから」

グレタは女の子なのだ。今後は彼女の胃のサイズに見合った適量にしないと、とスウェルは心に刻んだ。

果たして、グレタは布巾に包まれたクッキーをひとつ持ち上げた。スウェルの心臓はその時点で、緊張のあまり爆発しそうになっている。

さくさく、とグレタの小さな口の中でクッキーが砕かれていく。

スウェルは勇気を出して訊いた。

「ど、ど、どうかな」

「甘い」

「お砂糖たっぷりだからね！」

うふふえへへ、とスウェルは笑った。

いろいろ文句を言いながらも、グレタは次のクッキーを摑《つか》んでいる。スウェルは幸せな気持ちだった。幸せすぎてクネクネしてしまった。

「今回はちょっと粉っぽくなっちゃったんだけど。大丈夫、もっと練習して上手になるよ。任せて」

さくさく、の小気味よい音は続いている。

「アンタは、いつもばかみたいだな」

「そんなことないよ。ぼく、わりと頭はいいんだ。たまに先生が褒めてくれるもん」

「そういうところが、ばか」

練習を重ねれば、きっともっと上手になる。くるみやナッツ、ドライフルーツやチーズを生地に入れてみるのはどうだろうか。配分を変えれば、食感も変わるだろう。グレタに喜んでほしいと思うと、やる気がむくむくと湧いてくるスウェルだった。

今までは、作ってもらったお菓子をありったけ食べていた。でも、どうやら、スウェルは自分で作ってみるほうが性に合っているらしい。

グレタと知り合ったことで、初めて知ったことだ。グレタはいつも、知らない感情をスウェルに教えてくれる。

なんだかんだ文句を言いつつ、グレタはバスケットいっぱいのクッキーを食べ切ってしまった。

残ったらもらおうと思っていたスウェルだが、そんなことよりグレタが平らげてくれたことのほうがよっぽど嬉しくて、お腹がいっぱいになっていた。

「グレタ、好きな食べ物はある？　お菓子でも、料理でもいいよ。作れるようになるから、教えてほしい」

「……スウェルのクッキー」

「え？」

声が小さすぎて、よく聞き取れなかった。

「うるさいばか！　帰れ！」

バチンと背中を叩かれる。

笑いかけたスウェルだったが、喉の奥からは咳《せき》が出てきた。ごほごほと何度も咳《せ》き込むと、グレタは真っ青な顔色をしている。

「ご、ごめん。そんなに力強かったか？」

自分のせいだと思ってしまったらしい。スウェルはふるふると首を横に振る。

「ううん、違うんだ。ぼく、冬になるとたくさん咳が出ちゃうんだ。気管支っていうところが弱いんだって」

赤ん坊の頃からそうだから、どうしようもないのだ。半ば諦めているが、冬はこの症状のせいで憂鬱だった。ほとんどベッドの上で過ごす羽目になるからだ。

話を聞いたグレタは、真剣な面持ちをしている。

「……それ、痰《たん》は出るか？」

「うーん、そんなには出ないかな。いつも咳がたくさん出るよ」

考え込むような顔をしたグレタは「ちょっと待ってろ」と言い残し、家の中に入っていった。

軒先でスウェルは待った。空を見上げると、灰色に染まっている。あと数日で雪が降るだろうな、と思った。積もったら、グレタと雪だるまを作ってみたい。

そんなことを考えていると、グレタが戻ってきた。スウェルの手に、先ほどまでクッキーが入っていたバスケットを押しつけてくる。

「これ持って帰れ」

きょとんとしたスウェルは、空っぽになったはずのバスケットに何かが詰め込まれているのに気がついた。

「なんだい、これ？　……水色の飴玉《あめだま》？」

「あたしの調合した咳止めの薬だ。朝と夜寝る前に、一粒ずつよく舐《な》めろ。飴にしてるから苦くない。夜は、スプーンいっぱいの蜂蜜を舐めるのもいい。お前の家ならあるだろ？」

ぽかんとしているスウェルの冷えた手を、グレタは擦《こす》って温めてくれた。

小さい手のひらには、豆がたくさんできている。豆がつぶれた跡もたくさんある。薬草を砕くのに、毎日乳棒を扱っているからだった。

「それと喉は乾燥させるな。毎日たくさん水を飲めよ。分かったか？」

「う、うん！」

「よし」

自分よりずっと物知りなグレタの言うことだから、ちゃんと言う通りにしよう。スウェルはそう決めた。

◇◇◇

翌週、あばら屋の中には弾むスウェルの声が響いていた。

「グレタ、すごい！　本当にすごいよ！」

「うるせえ」

「だってぼく、いつも冬になるとあんなに苦しかったのに、グレタのくれた飴玉を舐めると、ぜんぜん咳が出ないんだよ」

スウェルが興奮するのも当たり前のことだった。

あの日、家に帰ったスウェルはさっそく水を飲んで、眠る前には飴玉と蜂蜜を舐めた。

変化は驚くほど如実に表れた。冷える冬の晩、スウェルは自分が咳をする音で目覚めることが何度もあったのに、今のところ快眠が続いている。

それに医者がくれる薬は苦くて、スウェルは服用している振りをしてこっそり捨てたりしていた。だけどグレタの飴はおいしくて、むしろ毎日の楽しみのようになっていた。

「グレタはすごい。魔法みたいだ」

はしゃぎ続けるスウェルを、グレタは面映《おもは》ゆそうに見つめている。

「ちゃんと水も飲んでるだろうな？」

「うん、バケツ二杯分くらい飲んでる！」

元気よく答えるスウェル。そこで、耐えきれなかったようにグレタが噴き出した。

「それは、飲みすぎだろ！」

わああっとスウェルは目を輝かせた。

「笑った！　グレタ、やっぱり笑顔がとびきりかわいいね！」

「囀《さえず》るな！」

「あいたぁっ」

グレタは照れ隠しでよくスウェルを殴った。いつも、ぜんぜん痛くはないけれど、スウェルは大袈裟《おおげさ》に悲鳴を上げてしまう。

けれどその日、スウェルはだんだんと静かになっていった。その変化は、グレタも読み取ったようだった。

「どうしたんだよ」

「……グレタ、依頼があるんだ。お金もちゃんと払う」

「飴玉のことなら、クッキーやラザニアのお礼だ。必要ない」

「そうじゃなくてね」

煮え切らないスウェルを、グレタは胡乱《うろん》げに見ている。

「……ぼくの家の家政婦が、病気で寝込んでるんだ。熱がちっとも下がらなくて」

「医者には診せたのか？」

「うん。でも、原因が分からなくて」

悄然《しょうぜん》とするスウェルを見下ろしていたグレタが、ぼりぼりと頭をかく。

「いいよ。診察してやっても」

「でも彼女は、その、グレタに失礼な態度を取るかもしれない」

ぎゅっ、とスウェルは手を握り込む。寝込んでいるのはグレタを汚らしいと言って、蔑《さげす》むような視線を送っていた家政婦なのだ。

「だけどぼくは、すごくお世話になってて……」

「だから、いいって言ってるだろ」

うんざりしたようにグレタが立ち上がる。

「助けたいんだろ。さっさと行くぞ」

「……うん！」

やっぱりグレタはかっこいい。スウェルはその背中に惚《ほ》れ惚《ぼ》れとしながら、彼女のあとについていった。

「誰が、魔女の診察なんて受けるものですか！」

スウェルの想定以上に、家政婦の拒絶は強いものだった。

喚《わめ》く中年の家政婦は、ベッドに寝転んでいる。威勢はいいが、起き上がる気力はないようだ。

スウェルの家に住み込みで働く彼女は、スウェルが物心つく前から面倒を見てくれていた。けれどこめかみに青筋を立てて怒鳴る姿は、初めて目にするものだった。

「うるせえな。よく囀りやがって」

イライラしているグレタを庇うように立って、スウェルは説得を試みた。

「おばさん。グレタはおばさんを助けに来たんだ。彼女の薬は本当にすごい効き目なんだよ、きっとおばさんのことも助けてくれる」

「坊ちゃまは、この悪い魔女に騙《だま》されています！　私は奥様に申し訳が立ちません！」

身も世もなく泣き続ける家政婦を前にスウェルがどうしたものかと悩んでいると、颯爽《さっそう》とグレタが口を開いた。

「いいじゃねぇか、このまま寝てたら死ぬんだから。どうせ死ぬんだったら、怪しくて陰険な魔女に診られようが診られまいが、変わらないだろ？　治ったら儲《もう》けもん、治らなくても何も変わらない」

怒りの感情を見せることなくグレタがあっさりと言い切ったので、家政婦にはそれが何よりおそろしかったのかもしれない。

「わ、私は死ぬの？」

家政婦の顔色は蒼白《そうはく》になっている。

「ああ、そうさ。どうせ人間なんざ魔女と違ってすぐ死ぬんだ。それが早いか、一秒遅いかの違いだろうが」

そんな脅しが利いたのか、結局、家政婦はグレタの診察を許した。

診察の間も、薬を処方する間も、ずっと家政婦は何かしら文句を言っていた。グレタはどうでも良さそうに聞き流していた。

帰り道、グレタがぽつりと言った。

「スウェルは口が堅いだろうから、言っといてやるか」

「うん？　なぁに？」

「あの家政婦、アタシの家にしょっちゅう通ってんだ。塗り薬をもらいにな」

呆然《ぼうぜん》とするスウェルに、グレタはにやにや笑いながら続ける。

「前髪が長いだろ？　額に、大きな紫色のおできがあるのさ。あの態度は、アタシとの関わりを他の村人に悟られたくないからだろう。嘘《うそ》を隠すための演技が下手な女だね」

「…………」

「訪ねる前にアタシが雇い先の坊ちゃんと一緒にやって来たから、まさかバレたんじゃないかってぎょっとしたんだろ。出歩ける体力があれば、自分からアタシの薬を取りに来ただろうさ」

スウェルは、泣きたい気分になった。でもグレタががんばってにやにやしているから、台無しにしたくなくて踏ん張った。

「……みんな、勝手すぎる」

「そうだな。世の中、勝手なやつばっかりだぜ。なぁスウェル坊ちゃん」

名前を呼ばれ、スウェルはグレタのほうを向く。彼女は空を見ていた。

「アンタ。アタシなんかといても、楽しくないだろ。たくさん、辛いだろ」

その頃には、スウェルとグレタのことは噂《うわさ》になっていた。

スウェルの父は、あまりいい顔はしなかった。母は飴玉を作ったのがグレタだと知っているから、温かく見守ってくれているし、彼女に差し入れるラザニアやフィナンシェの作り方を教えてくれたけれど。

村の子どもには、二回だけ殴られた。魔女に操られた哀れなやつだと。スウェルが大人に言いつけないと知っているから、ときどき暴力を振るわれるのだ。

でもスウェルはいずれ父や、それに他の人にも分かってほしい。

グレタが本当に素敵で、一生懸命で頑張り屋な女の子だということを。

そんな彼女を馬鹿にする権利なんて、誰にもないということを。

「なんで？　楽しいよ。他の誰といるより、グレタと一緒にいるほうがずーっと楽しい」

「でも、アタシは……」

俯《うつむ》いてごにょごにょと口ごもるグレタに、スウェルはにっこりする。

「そうだね。グレタは意地っ張りで、口が悪くて、機嫌が悪いと歯軋《はぎし》りするし、射殺しそうな目でぼくを睨んでくる」

グレタがじっとりと睨みつけてくる。

「それだけぽんぽん悪口が出てくるくせに、どうしてアンタはアタシと一緒にいるんだよ」

「違うよ。これはグレタの悪いところじゃなくて、ぜんぶ素敵なところだから」

スウェルはグレタの冷たい手を取って、空を見上げた。

今日は雪が降らなさそうだ。二人分の吐息は白く染まって、冬の空に吸い込まれていく。

「ねぇ。探してみようよ、グレタ」

「何を？」

「魔女の里」

隣のグレタからは、戸惑いの気配が伝わってくる。

「どこにいたって君は素敵だ。でも、君はそこに行ってみたいんだろう？　たくさんの仲間たちが暮らしているところに」

「……そう簡単に見つからねぇよ、魔女の里なんざ」

「分からないよ。二人で探せば、けっこう呆気なく見つけられるかも」

そこでスウェルはいったん言葉を句切る。

「それに、見つからなくてもいいじゃないか」

「ン？」

「そのときは、何もないところに里を作ろうよ。それでぼくたちが、ひとりぼっちの誰かを助けてあげるんだ。そしたら、どんどん大きな里になっていくかもしれないよ」

「坊ちゃんは、志もご立派だな」

「違うよ。ぼくは君を引き留める理由を作るのに必死なだけ。つまらない大人だらけの村から、いつ宝物みたいな女の子が姿を消しちゃうか、分からないもん」

グレタはぷるぷると身体を震わせる。

「だから、なんでそういうことを真顔で言うんだ！」

「いたぁっ」

グレタの拳は、なんだか甘い香りがする。スウェルが作ったお菓子のにおいがする。

追いかけ回されながら、スウェルはお腹の底から笑った。気がつけば、グレタも笑っていた。


それからもひとりとひとりは、よく一緒に過ごしていた。

今のところ、毎日が楽しいことだらけではない。相変わらず家政婦はグレタをけなすようなことばかり口にする。村人たちはグレタが目の前を通りかかるたび、うんざりした顔をして煙たがる。

彼らに立ち向かうスウェルは、殴られて傷だらけになったりする。

スウェルがボロボロになるたび、グレタは泣きそうになりながら手当をしてくれる。

彼女を泣かせたくないから、スウェルの目標は腕っ節の強い男になることだ。

そう告げたら、グレタはお腹を抱えてゲラゲラと笑っていた。スウェルは、ちょっと拗《す》ねた。

その日もスウェルは、あばら屋に向かう。運んできた台車には、家で余った木材を載せている。

グレタの家を補修して、彼女が住みやすい家にしたいのだ。

「グレター、いるー？」

家の中に呼びかけてみても、返事がない。おかしいなと思ったスウェルが裏手に回ると、そこでグレタはしゃがみ込んで何やらブツブツと呟いていた。

「今日は、いい天気だな。……じゃない、いい天気ね。オホホ。オッホッホ。ところで今日も、不様だな。……じゃなくて、かっこいいわね、だな。……くぅ、難しいぜぇ……どこかで手っ取り早くお色気講座でもやってねぇかな……」

「グレタ、何してるの？」

「わひゃあっ⁉」

あられもない悲鳴を上げたグレタが跳び上がり、真っ赤な顔で怒鳴った。

「ばかやろっ、急に話しかけるな！」

「ご、ごめんよお！　だってグレタがなんだか楽しそうにしてるから！」

しばらくスウェルはグレタに追いかけ回された。スウェルは足が遅いので、すぐグレタに追いつかれてしまう。

「アタシの背後を取るやつにはお口のびのびの刑だ！」

「いっ、いひゃいい」

じゃれ合う二人。ちなみにこの刑は、拳ぽかぽかより痛い。

痛む頬や口元をさすりながら、スウェルは話題を蒸し返した。

「それで、さっきのはなんの遊びだったの？」

「うるせえ。さっき見たものはすべて忘れろ。忘れたな？」

「は、はい」

きゅっと首を絞められたスウェルは、しきりに頷く。本当は忘れていなかったが、そういうことにしないと許してもらえそうもない。

その頃には、グレタは少しずつ身長が伸びていた。スウェルが食事やお菓子を差し入れたおかげも、少しはあるのかもしれない。そう思うと、スウェルはちょっとだけほっとした。

最近のグレタは、こっそりとあばら屋を訪れる村人たちに高額の報酬を要求するようになっている。

薬が安かろうが、高かろうが、彼らの態度は一様に変わらないと気がついたからだ。グレタが懸命に調合した優れた薬を、彼らは文句を言いつつも買っていく。

そこには、スウェルの家政婦の姿も変わらずあるようだった。

――バウッ、と大きな鳴き声が響く。台車の隣でハッハッ、と荒い息を吐く大型犬を発見し、グレタが不満そうに唇を尖《とが》らせた。

「まーた犬っころを連れてきたのか」

「うん。犬っころじゃなくてキャンディーだけどね」

「フン、憎たらしい犬っころだぜ」

鼻を鳴らすグレタに対し、グルル、とキャンディーが犬歯を剝《む》き出しにして唸《うな》る。

なぜかグレタとキャンディーはお互い仲が悪いのだが、スウェルはひとりと一頭のことが大好きなので、ちょっとずつでも仲良くなってほしい。そこで最近は、こうしてキャンディーを連れてよく遊びに来ている。

「あっ、そうだ！」

急にグレタが大きな声を出す。何か思いついたときの、悪巧みの顔をしている。

「そうだ、そうだよ。アレだ、あの薬を使えば……！」

「グ、グレタ？　どうしたの？」

戸惑うスウェルの顔のあたりをびしりと指さすと、グレタは満面の笑顔で言い放った。

「いいか、首を洗って待ってろよスウェル。アタシはアンタを虜《とりこ》にする、とっておきの手を思いついたぜ！」

慌ただしく家の中に入っていくグレタを、スウェルは見送る。

ぽつんと取り残されたところで、はぁ、と小さな溜め息を吐いた。

「……もう、グレタったら。そんなの今さらなのになぁ」

まぶしいほどの笑顔が、すぐ傍《そば》にいる誰かの心臓を毎日のように撃ち抜いているなんて、純粋な彼女はまだ気がついていないのだろう。

顔を真っ赤にするスウェルのお尻を鼻先でつつき、キャンディーがバウバウッと元気に鳴いた。

番外編2

名探偵ロッテちゃん　スペシャル特番

A witch in love has drugged
an elite knight with a
love potion.

雷の音が激しく鳴っている。

雪花の宮。国王が溺愛《できあい》する第五王女のために建造した豪奢《ごうしゃ》な宮殿は、嵐のまっただ中にある。

風は強く、生身の人間ではおいそれと近づけない。外は牛でも吹っ飛ばされるような豪風であった。

これぞまさにクローズドサークル。

事件が起こったとき、この宮殿に出入りできる人間は限られていた——。

「ロッテちゃん、これは正真正銘の難事件です」

「……ええ。宮殿に戻ってきて早々、おぞましい事件に遭遇してしまったわね」

探偵出向くところに事件あり。しかしまさか、住まいである雪花の宮でこんな難事件が発生してしまうとは。

形のいい眉をきゅっと寄せたロッテちゃんは、神妙に呟《つぶや》く。

「いったい誰が、殺人を犯してしまったのか……この名探偵ロッテちゃんが、必ず犯人を暴いて見せるわ！」


時は半刻ほど遡る——。

外の天気が荒れているので、その日のシャルロッテは外に出られず、室内で過ごしていた。いつものように客人にはセシリーを迎え、ダイニングルームで夕食のあとのお茶を楽しんでいた。給仕はマリアが担当してくれていた。

シャルロッテの護衛についていたのは、ジーク、アルフォンス、シリルの三人である。といってでは嵐の日にわざわざ侵入してくる物好きな輩《やから》はいないので、普段より聖空騎士団の空気は緩みがちではあった。

お茶の時間を終えて、シャルロッテはセシリーと腕を組み、マリアを連れて寝室に向かう。セシリーは小屋に戻れないので、久々に雪花の宮に泊まることになったのだ。雷が怖いと言うので、その日は同じ部屋で寝ることになりシャルロッテはうきうきしていた。

護衛のシリルも後ろをついてきた。その日は夜遅くの護衛をシリル、未明の護衛をアルフォンス、明け方の護衛をジークが担当する予定だったのだ。

飛竜を扱う彼らは基本的に不寝番をしない。交代制で護衛を務めて、それ以外の時間は仮眠室で休んでいる。

シャルロッテとセシリーは湯浴《ゆあ》みを済ませて寝着に着替えると、同じベッドに飛び込んだ。シャルロッテ愛用の天蓋つきベッドはキングサイズなので、二人で寝転がってでも余裕で両手を広げられる。

女子二人、話すことなどいくらでもある。雷雨を怖がるセシリーの不安が吹き飛ぶよう、しばらくはかしましく会話していたが、はしゃぎ疲れたシャルロッテはだんだんと眠くなってきた。

気がつけば目蓋《まぶた》が下りてきて、健やかな寝息が室内に響いていたのだが……。

――うがあああッッ！

寝静まった宮殿に、獣のような咆哮《ほうこう》が轟《とどろ》いた。

飛び起きたシャルロッテは、まず周囲を見回してはっとした。隣で寝ていたはずのセシリーの姿がなかったのだ。

まさかセシリーも、何かの凶事に巻き込まれてしまったのか。焦燥に駆られるシャルロッテの元に、マリアがやって来た。

「シャルロッテ様！」

「マリア！」

マリアの手によって三秒で探偵服に着替えたロッテちゃんは、時計の時刻を確認する。ちょうど深夜二時。

部屋から飛び出すと、そこでも異変があった。部屋の外に、護衛のシリルがいなかったのだ。

「これはいったい……」

セシリーも、シリルもいない。眉根《まゆね》を寄せたロッテちゃんだったが、今はあの叫び声の正体を突き止めるのが先決だ。

「ロッテちゃん、声はこちらから聞こえたようです」

マリアに誘導されて向かった先は、手洗い場だ。移動には五分近くかかった。

手洗い場前の廊下に、大量の血痕と、その中心で仰向けに倒れる男性の姿があった。

その人物は、ロッテちゃんたちもよく知る人だった。

「そんな。団長の下半身が……」

ロッテちゃんは、信じられない思いだった。

聖空騎士団を率いる立場にある、屈強な騎士団長ジーク・シュタイン。まさか彼が犠牲者になってしまうとは。

立ち尽くすロッテちゃんたちに続いて、まずセシリーが、そしてアルフォンスが、最後にシリルが姿を現した。

誰もが、目の前の光景を前に言葉を失う。がたがたと音が出るほど震えているセシリーに、マリアがそっと上着を羽織らせている。

「これはいったい……シリル、とにかく医務室にジークを運ぼう」

「は、はい。担架を持ってきます!」

それでも、騎士団員二人はすぐに立ち直った。そんな二人をロッテちゃんは油断なく観察しながら、死体の状況を確かめた。

倒れるジーク。青い制服は血液にまみれ、金色の飾緒《しょくしょ》にも血が飛んでいる。

「凶器は不明ね。犯人が持ち去ったのかしら?」

「血にまみれていて、傷口もどこか分かりませんね」

謎めいていた。これほど出血しているのに、出血箇所が特定できないなんてことがあるだろうか?

アルフォンスたちが医務室にジークを運び込む。戻ってきた彼らに、ロッテちゃんは告げた。

「非常に残念なお知らせだけれど……容疑者はセシリー、アルフォンスの下半身、シリルの下半身。すでにあなたたち三人に絞られているわ」

「そんな……」

探偵からの冷酷な宣言に、三人が一様に愕然《がくぜん》とする。

「どうしてオレたち三人なんです？　他にも雪花の宮には多くの人間がいたはずじゃ」

「それに、ロッテちゃんとマリアさんも容疑者なのでは……？」

「じゃあまず、そのあたりを説明するわね」

ロッテちゃんは運ばせてきた黒板に背伸びをして書き込んでいく。

「まず、わたくしとマリアのアリバイはお互いが証明できるわ。わたくしたちは団長の下半身のものと思しき悲鳴を聞いた直後、わたくしの寝室で顔を合わせているの。でも団長の下半身が倒れていたのは、寝室から走って五分もかかる手洗い場の前。……まぁ、わたくしとマリアが共犯で、口裏を合わせている可能性もあるけれど、それなら他の侍女も巻き込んで証人に仕立てたほうが良かったと思わない？」

なるほど、とアルフォンスたちが頷《うなず》く。目撃者は多ければ多いほどいい。その手を選ばなかった時点で、ロッテちゃんとマリアが犯人の可能性は低くなるのだ。

「次に、雪花の宮で働く侍女。彼女たちはお互いの目によってアリバイを確保しているから、容疑者からは外すわ。寝室を抜け出している子もいなかったようだし」

そこでロッテちゃんは、容疑者三人に鋭い目を向ける。

「でもあなたたちは、犯行時刻の真っ最中、それぞれ単独で行動していたわ。ひとりずつ、事情を説明してもらえるかしら」

「ええと……ではわたしから」

赤い顔をしたセシリーが口火を切る。

「わたしは雷の音で、なかなか寝つけなくて……ロッテちゃんの寝室を抜け出して厨房《ちゅうぼう》に行って、熱い紅茶を飲んでいました。そこにカップがまだ残っているので、分かると思います。あの叫び声が聞こえたので、カップをそのままにして出てきちゃいましたから」

次にアルフォンスが、しかめ面で説明する。

「オレのアリバイは、本来ならジークが証明してくれるはずだったんだろうけど……仮眠室で寝ていたら、あの声が聞こえたんです。ジークの寝床はもぬけの殻で、なんでだろうと思いながら手洗い場まで走りました」

最後にシリルが言う。

「僕はシャルロッテ殿下の護衛をしていましたが、不審な人影が窓の外に見えた気がしたんです。慌《あわ》ててそれを追いかけたんですが、そんなときにあの叫び声が遠くから聞こえてきました。判断に迷いましたが、声のしたほうに向かうことにしました」

「不審な人影、ね……」

ふぅ、とロッテちゃんは息を吐く。

「仰向けで倒れていたということは、犯人は団長の下半身の目の前に立っていたということよ。これは間違いなく、顔見知りの犯行だわ。その不審な人物が実在するかはともかくとして、今回の殺人事件には無関係でしょうね」

全員が痛ましげな面持ちをしている。

「……いやまだ死んでないですからね！」

ジークは出血多量で医務室に運ばれたが、今のところ意識が戻る様子がないだけである。我に返ったアルフォンスが否定するが、その声は思考するロッテちゃんの耳には届いていない。

「……シリ・ルー先生」

「は、はいっ？　なんでしょう？」

おもむろにロッテちゃんに呼ばれ、シリルがびくっと肩を揺らす。

「あなたは、魔女の里への旅行に同行できなかった。その腹いせに、団長の下半身を殺してしまったの？」

「ちっ、違います！　僕は、そんないじけた子どものような理由で団長を手にかけたりしません！」

あらぬ疑いをかけられたシリルは顔を真っ赤にするが、ロッテちゃんの追及は続く。

「そういえば先生。頭が少し濡《ぬ》れているようね」

「そ、それはシャワーを浴びたあと、髪を乾かすのを忘れただけです。僕は髪の毛が短いですし……」

「おまけに眼鏡のフレームが数時間前と変わっているような気がするけれど？」

「それは、ええと」

目を泳がせるシリル。

その場にいる全員が、疑わしげな目でシリルを見ている。シリルは下唇を噛《か》んだ。

「……白状します。僕は、宿舎に戻ろうとしていました。不審者を見たというのも嘘なんです」

ロッテちゃんが鋭く目を細める。

「この嵐の夜に、わざわざ宿舎に？　それはなぜかしら」

「頭の中に、閃《ひらめ》いたからです。新作のアイディアが――」

「ええっ？　素晴らしいじゃないのっ！」

ロッテちゃんは興奮した。数多くの名作ロマンス小説を生み出したシリ・ルーの新作。その響きだけで胸が弾む。

「どんなお話なんです？」

「ロッテちゃん、今はそれどころでは」

助手のマリアに窘《たしな》められ、ロッテちゃんは咳《せき》払いをした。

「え、ええと。それでどうして、新作のアイディアが閃いたからと宿舎に戻ることにしたのかしら？　教えてちょうだい」

「僕はいつも、愛用のペンで帳面にアイディアを書き込むことにしています。でも今日は偶然、宿舎にどちらも忘れてきてしまって……、迂闊《うかつ》でした」

シリルは悔しそうだ。

「なんとか宿舎に戻ろうとしましたが、ドアを開けた瞬間に雨で髪の毛が濡れてしまって……ついでに雷鳴に驚いて、眼鏡も落として踏んづけてしまいました。予備の眼鏡を持っていたのは、不幸中の幸いでした……」

「そこは眼鏡じゃなくてペンと帳面を持参しろよ」

アルフォンスの指摘は的を射ているが、人間誰しも失敗はあるものだ。

「なるほどね。話してくださってありがとう。……ところで、どんなお話なんです？」

「それが、眼鏡を踏んだショックで忘れてしまいました」

「ひーん、そんなぁ！」

「ロッテちゃん、今は事件の解決が先です」

ロッテちゃんは涙目ながら本題に戻った。

「まず、シリ・ルー先生は容疑者から除外するわ」

「その心は？」

「そもそも、先生が殺人なんてするはずないもの。先生の手は罪を犯すためではなく、尊い物語を生み出すためにあるのよ」

「シャルロッテ殿下……！」

シリルが感激している。

「おきになさらず。でも今のわたくしはロッテちゃんよ」

「ロッテちゃん最高です！　あっ、また新作のアイディアが降ってきた……！」

「……って贔屓《ひいき》だ！　それは贔屓ですよ殿下！」

アルフォンスがぶーぶー言っている。

「贔屓じゃないわ、贔屓を取り入れた推理よ！」

ロッテちゃんはそう主張し、アルフォンスを見事に論破した。

「――なんてね。そもそも、わたくしには最初から犯人が分かっているのよ」

名探偵たる彼女の発言に、その場が静まり返る。

「だからこそ、真犯人には正直に名乗ってほしいの。これ以上、罪を重くしないためにもね」

そんなロッテちゃんの思いに、答える声があった。


「……わたしです、ロッテちゃん」


その場に膝をつき、わっとセシリーが泣き出す。

「わたしが、ジークを……彼をこの手で……」

「よく名乗り出てくれたわね、セシリー」

震えるセシリーの肩を、ロッテちゃんは励ますように軽く叩《たた》く。

「あなたは熱いお茶を淹《い》れたと言ったけれど……マリアに確かめさせたところ、厨房に残っていたカップの中身はひえひえだったわ。お茶を飲んでから手洗いに行こうと思ったあなたは、手洗い場でジークとばったり会ってしまったのでしょう？　そこで、悲劇が起こってしまった――」

「はい。まさか……まさかネグリジェ姿のわたしを見て、ジークが鼻血を噴いてしまうなんて思わなかったんです！」

打ち明けるセシリーの顔は真っ赤になっている。

そう、二人は手洗いの前でばったりと出会った。

しかし、あまり寝相の良くないセシリーの髪や服は乱れ、ネグリジェの裾もめくれていた。しかも上着をまとっていなかった。そんな煽情《せんじょう》的な姿をした恋人をジークは目撃してしまったのだ。暗い手洗い場だが、奇《く》しくも雷によってセシリーが浮かび上がる。至近距離でまじまじと見てしまったジークは、鼻血を噴いて卒倒したのだった。

それに、根本的な問題がある。もしもジークが誰かに襲われたのであれば、ロッテちゃんではなくセシリーが率先して犯人を血祭りに上げていただろう、ということだ。そうしなかった時点で、犯人は最初から分かりきっていた。

これが、事件の真相である――。

「……セシリー」

医務室で手当を受けたジークが戻ってきた。

さめざめと泣いていたセシリーが、すぐにそんなジークに駆け寄る。

「ああジーク、ごめんなさい。本当にごめんなさい！」

「いいんだ、セシリー」

「でも、でも、わたしが『このネグリジェは薄いから、もしも今ジークに触《ふ》れられたら、どうなっちゃうのかしら』なんて言ったから！」

「そうだな。俺を誘惑する悪い唇を、今すぐ塞がないと気が済まない」

熱を宿す褐色の瞳に見つめられ、セシリーは堪《こら》えられないようにジークに抱きつく。彼女を抱きしめ返したジークが、その華奢《きゃしゃ》な身体を軽々とお姫様抱っこした。

「二人きりになれる場所に行こう、セシリー」

「うん！」

「お騒がせしました」

「しました！」

バカップルはこうして去って行った。

「……こ、これにて一件落着よ！」

ロッテちゃんの顔はすっかり火照っている。

「次の事件がわたくしを待っているわ。さぁ、行くわよマリア！」

「いえ、ロッテちゃん。私はまだ仕事がありますので、失礼いたします」

愕然としていたロッテちゃんだが、マリアより先にロッテちゃんの助手を務めていた人物がここにはいる。

もう容疑も晴れたので、また彼を助手に戻すことができるのだ。

ロッテちゃんは晴れやかな気持ちで呼びかけた。

「じゃあアルフォンスの下半身！　助手に出戻りよ！」

「出戻りは意味が違うような……まぁいいか。どこへなりともお供しますよ、ロッテお嬢様」

「ええ！」

意気揚々なロッテちゃんだったが、アルフォンスが後ろでふわぁと欠伸《あくび》を漏らした。

「でもとりあえず寝ましょうよ。まだ夜ですから」

「……そうね！」

欠伸が移ったロッテちゃんはベレー帽を被り直し、寝室に向かう。

名探偵ロッテちゃんの活躍は、まだまだ続く。

あとがき

先月のことになりますが、執筆中にキーボードを置いているサイドテーブルが落下してきて、腰に直撃しました。

青あざが広がり、七日間くらい痛みも取れずしんどい思いをしまして、それをきっかけにテーブルを買い換えて、椅子も新調することにしました。

この椅子というのが、ヘッドがついていて、腰や脊柱のサポート機能がついているけっこういいやつでして、今ではかなり身体に馴染《なじ》んできました。

今もその椅子に座ってキーボードをかこかこ打っています。作家にとって目も腰も命そのものということで、皆さんもどうか身体は大事にしてください。ウォーキングや筋トレも大切です。そうして身体を鍛え、最終的には落ちてくるサイドテーブルを避ける瞬発力を身につけるのがわたしの目標です。

……と、急なテーブル・サイド・ストーリーから始まりましたが、『恋する魔女』第二巻でございました。全編書き下ろしの一冊、楽しんでいただけましたでしょうか。

一巻発売の際には素敵なPVや、DRE《ドリ》ノベルスならではの挿しボイスというものを作っていただいたりと、貴重な経験をさせていただきました。

なんとセシリー役を石川由依《いしかわゆい》さん、ジーク役を羽多野渉《はたのわたる》さんという、今をときめく人気声優お二方に演じていただいております。お二人の演技が本当に素晴らしく、「プロの声優さんになんてことを言わせているんだ」と羞恥《しゅうち》に悶《もだ》えたりもしましたが、悪いのは作者ではなくイチャつき続けるセシリーとジークです。二巻の執筆中もずっと二人の声がどこからか聞こえてきて幸せでした。

「挿しボイスって何？」「声優さんのファンなんだが？」という方は今すぐ書店さんに走って、初回特典がついた帯つきの一巻をゲットしてみてくださいね。見当たらないときはお取り寄せをしていただけたらありがたいです。甘美な世界に誘われること間違いなしです。


最後に謝辞になります。

イラストレーターの條《えだ》様。ケインは今巻で初登場の男の子ですが、條様が彼を本当に気に入ってかわいがってくださり、作者としても嬉《うれ》しい限りでした。二巻の表紙ラフが届いたとき、そこにジークの姿がなかったこと、おもしろすぎてわたしは永遠に忘れられないと思います。一巻に引き続き、美麗なイラストの数々をありがとうございました。

この本をお手に取ってくださった皆様にも、心からの感謝をお伝えさせてください。楽しく読んでいただけていたら光栄です。


それではまたどこかで、皆様にお会いできますように。

DRE NOVELS

恋する魔女はエリート騎士に惚れ薬を飲ませてしまいました2
～偽りから始まるわたしの溺愛生活～

2023年6月10日　初版第一刷発行

著者　榛名丼
発行者　宮崎誠司
発行所　株式会社ドリコム
〒141-6019　東京都品川区大崎2-1-1
TEL　050-3101-9968
発売元　株式会社星雲社（共同出版社・流通責任出版社）
〒112-0005　東京都文京区水道1-3-30
TEL　03-3868-3275
担当編集　藤原大樹
装丁　木村デザイン・ラボ
印刷所　図書印刷株式会社

Printed in Japan
ISBN978-4-434-32106-1

ファンレター、作品のご感想をお待ちしております。

右のQRコードから専用フォームにアクセスし、作品と宛先を入力の上、コメントをお寄せ下さい。
※アクセスの際に発生する通信費等はご負担ください。